D1409465

TARTE AUX POILS
SUR COMMANDE

DU MÊME AUTEUR

Dans la même collection :

T'es beau, tu sais !
Ça ne s'invente pas.
J'ai essayé : on peut !
Un os dans la noce.
Les prédictions de Nostrabérus.
Mets ton doigt où j'ai mon doigt.
Si, signore.
Maman, les petits bateaux.
La vie privée de Walter Klozett.
Dis bonjour à la dame.
Certaines l'aiment chauve.
Concerto pour porte-jarretelles.
Sucette boulevard.
Remets ton slip, gondolier.
Chérie, passe-moi tes microbes !
Une banane dans l'oreille.
Hue, dada !
Vol au-dessus d'un lit de cocu.
Si ma tante en avait.
Fais-moi des choses.
Viens avec ton cierge.
Mon culte sur la commode.
Tire-m'en deux, c'est pour offrir.
A prendre ou à lécher.
Baise-ball à La Baule.
Meurs pas, on a du monde.
Tarte à la crème story.
On liquide et on s'en va.
Champagne pour tout le monde !
Réglez-lui son compte !
La pute enchantée.
Bouge ton pied que je voie la mer.
L'année de la moule.
Du bois dont on fait les pipes.
Va donc m'attendre chez Plu-
    meau.
Morpions Circus.
Remouille-moi la compresse.
Si maman me voyait !
Des gonzesses comme s'il en
    pleuvait.
Les deux oreilles et la queue.
Pleins feux sur le tutu.
Laissez pousser les asperges.
Poison d'Avril, ou la vie sexuelle
    de Lili Pute.
Bacchanale chez la mère Tatzi.
Dégustez, gourmandes !

Plein les moustaches.
Après vous s'il en reste, Monsieur
    le Président.
Chauds, les lapins !
Alice au pays des merguez.
Fais pas dans le porno...
La fête des paires.
Le casse de l'oncle Tom.
Bons baisers où tu sais.
Le trouillomètre à zéro.
Circulez ! Y a rien à voir.
Galantine de volaille pour dames
    frivoles.
Les morues se dessalent.
Ça baigne dans le béton.
Baisse la pression, tu me les gon-
    fles !
Renifle, c'est de la vraie.
Le cri du morpion.
Papa, achète-moi une pute.
Ma cavale au Canada
Valsez, pouffiasses

Hors série :

L'Histoire de France.
Le standinge.
Béru et ces dames.
Les vacances de Bérurier.
Béru-Béru.
La sexualité.
Les Con.
Les mots en épingle de San-Anto-
    nio.
Si « Queue-d'âne » m'était conté.
Les confessions de l'Ange noir.
Y a-t-il un Français dans la salle ?
Les clés du pouvoir sont dans la
    boîte à gants.
Les aventures galantes de Béru-
    rier.
Faut-il tuer les petits garçons qui
    ont les mains sur les hanches ?
La vieille qui marchait dans la
    mer.

Œuvres complètes :

Vingt-deux tomes déjà parus.

SAN-ANTONIO

TARTE AUX POILS SUR COMMANDE

FLEUVE NOIR

6, rue Garancière - Paris VIe

Il était à ce point économe qu'il avait fini par contracter l'avaricelle.

Le chemin le plus court d'un point A à un point B, c'est la ligne droite.
Le chemin le plus court d'un point A à ce même point A, c'est le cercle.

SANS PRÉAVIS DE DÉCÈS

Le petit médecin se redressa : un Asiatique, ou alors un nain frappé d'hépatite virale.

Il ôta son stéthoscope de ses oreilles, et s'en fit un collier. L'écouteur chromé lui descendit jusqu'aux testicules. Il devait chausser des préservatifs taille triple zéro car il avait un nez et des pouces minuscules qui trahissaient le désastre. Sa petite tronche couleur bronze donnait à penser qu'il avait pour coiffeur un Indien Jivaro.

Il se tourna vers les deux personnes anxieuses de son diagnostic : une dame d'une quarantaine d'années, élégante et très baisable, et un domestique à cheveux bruns, vêtu d'un pantalon noir et d'une veste à la russe en toile jaune. Il fit la grimace, ce qui ne lui posa aucun problème majeur, avec la frime qu'il se trimbalait.

— Votre avis, docteur ? chuchota la femme.

— Il est mort ! déclara le praticien.

— Vous pourriez m'écrire ça noir sur blanc ?

— Si c'est du permis d'inhumer que vous voulez parler, je vais l'établir tout de suite.

Tel Atlas envisageant de soulever le monde, il chercha un point d'appui pour rédiger le document, mais n'en trouva pas. La table ovale était surchargée de médicaments, de pots de tisane, de tasses. La cheminée de marbre rose également.

— Passons au salon, proposa la femme.

Il la suivit comme un singe son dresseur.

Lorsque le couple fut sorti, le valet de chambre tira un paquet de cigarettes blondes de sa poche et se fila un clope dans la clape.

Il s'apprêtait à l'allumer lorsque le mort murmura :

— J'en fumerais bien une, moi aussi.

Docile, le domestique cueillit une deuxième tige et alluma les deux simultanément à la flamme de son Dunhill en or. Il glissa ensuite l'une des cigarettes entre les lèvres blanches du mort. Celui-ci tira une bouffée voluptueuse.

— C'est une Camel, avertit le larbin.

— Et alors ?

— Vous n'aimez pas les Camel. Vous dites que c'est du foin au miel.

— La première cigarette du ressuscité, murmura l'ex-défunt, on ne fait pas le difficile.

C'était un homme d'une cinquantaine d'années, aux traits émaciés, à la chevelure abondante, d'un gris neigeux. Un savant maquillage ôtait du charme à un visage qui, normalement, en était plein. Son regard avait une couleur d'ambre et une fixité déprimante.

— Aide-moi à me débarrasser de ce carcan, j'étouffe ! fit-il.

Le valet saisit les deux mains qu'il lui tendait et le hala pour qu'il puisse se mettre sur son séant. Après quoi, il déboutonna la veste de pyjama de l'homme alité, le dépiauta, puis fit jouer les crochets de fixation du bustier en vinyle spécial qui emprisonnait son torax. Cette étrange prothèse reproduisait à s'y méprendre une poitrine d'homme. On y lisait la saillie du sternum et les cerceaux des côtes. Les seins, aux mamelons rosâtres, paraissaient plus vrais que nature. Des poils clairsemés frisottaient çà et là. Le larbin éprouvait de l'écœurement à manipuler cette espèce de justaucorps en fausse chair.

Lorsqu'il eut dégagé le « mort », il jeta la carapace à travers la pièce ; on aurait dit la mue écœurante d'une langouste.

La femme revint, tenant un document dont elle s'éventait le visage afin de hâter le séchage de l'encre.

— Eh bien, l'affaire a été rondement menée, fit-elle, te voilà légalement mort.

L'homme sourit et refoula les draps. Il resta assis un instant sur le lit, regardant ses pieds dont il agitait les orteils.

— Mon rêve ! soupira-t-il. Suivre de loin mon enterrement m'a toujours paru le comble de la jubilation. On pourrait m'incinérer après-demain, je suis libre tout l'après-midi ?

Le valet de chambre eut un rire en biais, à cause de sa cigarette qui se consumait dans le coin gauche de sa bouche.

— Et qui va tenir le rôle au crématorium ? demanda-t-il.

— Toi ! assura la femme.

Au même instant, elle eut un geste rapide et enfonça dans le bras du valet l'aiguille d'une minuscule seringue qu'elle dissimulait au creux de sa main libre.

Le domestique fut comme paralysé par l'incrédulité. Il resta figé, la bouche entrouverte, le regard fixe.

L'homme au torse nu cueillit la cigarette du valet à sa bouche et alla la jeter dans la cheminée où nul feu ne brûlait. Elle grésilla dans un reste de vieilles cendres froides. Le larbin s'écroula sans émettre la moindre plainte. La femme qui attendait le poussa en direction du lit à l'instant où elle vit chavirer les yeux de sa victime. Le valet chut à plat ventre en travers de la couche

abandonnée par le précédent « mort » ; ses pieds frémis-
saient sur la carpette.

— Aide-moi à faire *ta* toilette, dit la femme ; je tiens à
ce que *tu* sois beau pour accueillir ces messieurs des
pompes funèbres.

1

Manolo avait un truc avec les femmes. Brutal, mais souvent efficace.

Il s'approchait d'elles, les regardait intensément, l'air grave, et finissait par murmurer d'un ton détaché :

« — Je peux vous dire quelque chose ? »

Impressionnées par ce regard de braise, ce visage tendu, cette voix grave, elles acquiesçaient toujours. Alors Manolo laissait tomber avec regret, comme on énonce une fatalité ou quelque chose d'approchant :

« — Je suis capable de vous brouter la chatte pendant deux heures avant de vous enfiler ma grosse queue ! »

Et il avait l'air alors d'être choisi par des autorités mystérieuses pour l'accomplissement d'une mission périlleuse et capitale.

Il continuait de regarder la femme, sans ciller, sans broncher ; en homme de grand devoir qui se tient à disposition.

Il enregistrait deux sortes de réactions. Soit la femme s'indignait, soit elle riait. L'une comme l'autre constituant une forme d'autodéfense devant cette étrange agression verbale. Leur premier réflexe était l'ahurissement. Le maintien et le ton polis de leur interlocuteur renforçaient la démesure de la déclaration.

La stupeur surmontée, leur tempérament reprenait le dessus. Elles lançaient un « Bougre de dégueulasse ! » ou un « Vous alors, comme vous y allez » ! Ni l'une ni l'autre de ces exclamations n'indiquait que la partie fût perdue ou gagnée. Dans le cas premier, les yeux de Manolo s'emplissaient de larmes et il balbutiait : « Je sais bien que ce que je vous dis là est inqualifiable. Si vous croyez que j'agis de gaieté de cœur... » Et il prenait un air à ce point malheureux, son interlocutrice lisait une telle détresse sur son visage qu'elle se sentait curieusement culpabilisée.

Dans la deuxième version, celle du rire, Manolo jouait également la mélancolie profonde : « Tant mieux si la chose vous amuse, cependant ce n'est pas ce que vous croyez. Ô Seigneur, non ! ». La personne perdait du coup sa bonne humeur pour s'intéresser au « cas » de Manolo.

Ce dernier baisait beaucoup.

Homme de parole, il exécutait effectivement des « minettes » sauvages à en perdre haleine. Elles ne duraient pas deux heures d'horloge comme il le promettait, mais il les prolongeait jusqu'à ce que sa partenaire implorât que l'on passât la vitesse supérieure, si bien qu'elle lui donnait somme toute quitus pour le temps de minette non respecté.

Lui et moi, ça s'est constitué de la manière suivante. J'avais filé rencard à Marie-Marie à la terrasse du *Fouquet's*.

Elle est assise devant un Pimm's. C'est moi qui l'ai initiée à ce breuvage. Ça lui a plu. Le goût, bien sûr, et surtout ce fourbi végétal que le barman fourre dedans avant de te l'apporter : tranches d'orange, de citron, feuilles de menthe, branche de céleri, cerise confite : un vrai repas ! Les Pimm's du *Fouquet's* sont les meilleurs de Paris.

Elle tète un petit coup son chalumeau. Ne m'a pas vu surgir car elle mate du côté opposé. Je m'avance vers elle, le cœur en liesse. Et puis voilà qu'une main me happe. Je regarde ces cinq doigts sur la manche de mon costume en jean. Les ongles sont carrés, la peau blanchâtre et tavelée. Je remonte de la main à la gueule de son propriétaire et reconnais Serge Monfourby, le directeur littéraire de *l'Ahuri Saponifié*, nouvel hebdomadaire à sensation, donc à procès, qui s'en prend à tout le monde, n'importe les enjeux politiques ou commerciaux. A ce degré, ce n'est plus du courage mais du suicide. Montfourby a toujours montré quelque bienveillance à mon endroit (voire à mon envers, car il est homo à en faire dégueuler un phoque grec) ; il prétend que nous sommes de la même race, les deux, à cause de mon anticonformisme. Mais moi, bêtement, je crois pressentir au contraire des nuances entre lui et moi.

— Antoine ! il murmure, tu devrais nous écrire un papier d'humeur chaque semaine. Quinze lignes sur un coin de table, pour dénoncer la connerie.

— Pour dénoncer la connerie, Sergio, c'est pas quinze lignes qu'il me faudrait, mais la valeur du Larousse Universel en 20 volumes (comme l'eau oxygénée).

Et à cet instant, j'avise un type du genre homme à femmes (faciles) qui se penche sur Marie-Marie.

Je m'avance derrière lui sans qu'il m'entende ni sans que Marie-Marie me voie puisque le mec me masque. Je l'entends murmurer :

— Je peux vous dire quelque chose ?

La Musaraigne ne répond pas, mais son regard doit exprimer un bout de consentement car le gars en question dit comme ça :

— Je suis capable de vous brouter la chatte pendant deux heures avant de vous enfiler ma grosse queue.

La môme, du tac au tac, répond :

— Eh bien, voilà qui est intéressant à savoir, monsieur !

Et à moi qu'elle vient enfin d'apercevoir, et très fort :

— Tu te rends compte, Antoine ? Monsieur peut me faire minette pendant deux heures avant de m'enfiler sa grosse queue !

Aux tables voisines, les conversations cessent. Le serveur en a sa verrerie qui tintinnabule sur son plateau. Le maître d'hôtel préposé aux réservations pour le restaurant quitte son pupitre pour se précipiter vers nous.

— Des problèmes, monsieur le commissaire ? demande-t-il.

— Pas du tout, fais-je en m'asseyant auprès de ma merveilleuse, quelle idée, Vincent ?

Tu materais la frite du gonzier hardi, tu le supplierais de n'y rien changer pendant que tu irais chercher ton Nikon. Il garde la bouche ouverte, le regard figé, la nuque courbée comme un qui appréhende une explosion après avoir allumé la mèche.

Ce mec, je le trouve plutôt intéressant. Bel homme, si l'on n'est pas trop regardant sur la classe : saboulé comme les champions cyclistes italiens qui veulent s'endimancher dans le genre sobre.

La trentaine à peine dépassée, très brun, le teint mat, une gueule expressive, des cils longs, une bouche charnue.

Je hausse les épaules et lui déclare gentiment :

— Les impondérables, ça, mon vieux. Mais je suis convaincu que votre truc est assez payant, non ?

Il sourit et opine.

— C'est jouable !

Puis, à Marie-Marie :

— Bien entendu, je vous prie de m'excuser, je ne pouvais prévoir que vous attendiez quelqu'un.

Moi, je murmure :

— Toutes les femmes seules à une terrasse de café attendent quelqu'un.

Le serveur vient donner un petit coup de pattemouille sur la table, bien qu'elle soit nette.

Il demande, en fustigeant le beau dégueulasse du regard :

— Un Pimm's également, commissaire ?

— Non : deux. Royaux !

Le loufiat déclare, pour mémoriser :

— Deux Pimm's royaux, deux !

Il s'en va.

— Asseyez-vous ! lancé-je au champion de minette.

Le gars, vaguement incrédule, se dépose sur un siège en face de nous.

— Je suis bien tombé, soupire-t-il ; vous êtes commissaire, par-dessus le marché.

— Il y a des jours foireux, fais-je.

— Je dois m'attendre à des représailles ?

— Quelles représailles ? C'est pas un délit que de promettre des délices à une dame. Vous n'avez pas commis non plus d'attentat à la pudeur.

— Je voulais dire, au plan... humain. Jalousie, quoi.

— J'aurais été jaloux si ma petite camarade avait donné suite à votre aimable proposition. Et encore, je me le demande. Déçu, plutôt.

Le garçon apporte les consos.

— J'ai commandé sans vous consulter, m'excusé-je, en ignorant si vous aimez le Pimm's.

Je lui présente l'un des deux verres :

— A vos exploits !

Il se saisit du breuvage et nous porte un toast muet avant de boire. Il ne sait trop encore comment considérer la tournure que prend l'événement. Se dit que ma conduite diffère peut-être une sale réaction et que je peux très bien lui balancer un bourre-pif au moment où il ne s'y attend plus.

Je bois à mon tour. Marie-Marie sourit, amusée.

— Quel pourcentage de réussite obtenez-vous ? questionne-t-elle.

— Un bon cinquante pour cent.

— Vous ne vous vantez pas ?

— Je suis plutôt au-dessous de la vérité.

Son fugace sourire meurt et il murmure à mon adresse :

— Vrai, vous ne m'en voulez pas ?

— Absolument pas. Vous auriez risqué cette manœuvre dans mon dos, sachant que j'étais avec mademoiselle, je vous aurais massacré ; mais une femme seule est convoitable par tous les hommes, c'est à elle de se déterminer.

Il hoche la tête.

— Votre philosophie rejoint la mienne, assure-t-il.

— J'en suis convaincu.

— Vous êtes vraiment commissaire ?

— Voici ma carte !

Il mate la brème plastifiée que je lui colle devant le portrait et a un tressaillement flatteur pour moi.

— San-Antonio ! Alors là, je ne m'étonne plus !

Il se met à fixer son Pimm's et sa luxuriance de fruits et légumes ; son rêve s'y perd comme dans un jardin fleuri. Qui donc a écrit qu'au printemps le matin dure toute la journée ? Je vais bien te faire marrer, mais je suis sûr que ce dragueur est un poète, dans son genre. Il faut l'être pour oser attaquer une gerce de cette façon. Pareille audace rejoint une forme de galanterie romanesque. Mais il n'y a que ma pomme pour oser soutenir ça !

Il articule, lointain :

— Et dire que ce matin, dans mon bain, je pensais à vous.

— T'es pas à voile et à vapeur, j'espère ?

— Pas de danger, les femmes me fascinent trop. Non, je pensais à vous parce que je suis inquiet au sujet de mon frère, et que chez moi, ça tourne à l'idée fixe.

— Tu développes ?

Je me suis mis à le tutoyer spontanément sans m'en

rendre compte, et je ne pense pas qu'il s'en soit aperçu non plus. Quand je me sens en sympathie avec un gonzier, de mon âge ou plus jeune que moi, ça démarre automatiquement.

— Ce serait un peu long, dit-il.

Et il a un hochement de menton en direction de Marie-Marie. Mais ma souveraine est le contraire d'une fille bégueule.

— Vous pouvez y aller, je suis un peu du métier, moi aussi, assure-t-elle[1].

Le brouteur-longue-durée lui décoche un sourire dépourvu de concupiscence.

— Je ne sais trop par quoi commencer, avoue-t-il.

— Par le commencement, conseillé-je.

Il hésite puis murmure :

— Bon, puisque vous insistez.

Et le voilà parti. En parlant, il triture le chalumeau de son long drink, lui donnant une foultitude de formes.

— Je suis d'origine espagnole, fait-il. Mon père était républicain et il s'est réfugié en France, comme tant d'autres, à l'avènement du franquisme, en compagnie de sa femme et de leur fils Miguel qui venait de naître.

« Après la guerre, la femme de mon père est morte de leucémie. Papa en a eu un tel chagrin qu'il s'est mis à boire, ce qui explique que Miguel ait été élevé n'importe comment et qu'il soit devenu un petit voyou qu'on a dû placer en maison de correction. Au début des années cinquante, mon père a été très malade et a cessé de picoler. Il s'est repris en main et a alors rencontré celle qui devait devenir ma mère. Je suis né de cette union en 53. Peu de temps après ma naissance, mon vieux est décédé à son tour. Ma mère s'est échinée pour m'élever, et je peux vous dire que ma petite enfance n'était pas dorée !

---

1. Nous avons appris dans le plus pur de mes chefs-d'œuvre, titulé *Ma cavale au Canada*, qu'elle travaillait pour les services secrets français. San-A.

« Un jour, quelqu'un a rappliqué chez nous. Un mec jeune et plein aux as : mon frère Miguel. Il avait appris le décès de notre paternel et voulait voir à quoi ressemblait son jeune frère. C'est un type qui a la fibre familiale. Il s'est occupé de nous pendant des années. Il arrivait sans crier gare, deux ou trois fois par an, les bras chargés de cadeaux pour ma mère et moi. Il nous emmenait au restaurant et, après nous avoir reconduits à l'appartement dans quelque superbe bagnole, il déposait une grosse enveloppe sur la table de la cuisine avant de repartir. Quand on lui demandait ce qu'il faisait comme travail, il nous répondait évasivement qu'il était « dans les affaires » ; on sentait qu'il n'avait pas envie de parler de ça. Il insistait pour que j'aie une bonne instruction et me payait une école privée réputée.

« Et puis, un jour, on l'a vu à la télé et dans le journal. Il venait de se faire arrêter pour le braquage d'une banque avec d'autres types. Ça nous a à moitié surpris. Il a été condamné à six ans de détention. On allait lui rendre visite à Poissy et, chaque fois, il me recommandait de ne pas l'imiter et de suivre le droit chemin. Il me conseillait d'étudier et de me faire une situation. »

— Et que fais-tu ? l'interrompé-je.

— Diamantaire.

— Mazette !

Cette exclamance, je l'ai prise au Vieux qui raffole de mots obsolètes.

Le bouffeur de chattes amorce un petit geste pour calmer le jeu.

— Oh ! attendez ! Le mot est ronflant, mais ma situation relativement modeste. Je suis dans le marché du caillou en qualité d'intermédiaire, ce qui ne m'empêche pas de traiter quelques petites affaires à titre personnel. Mais attention, commissaire, n'allez pas imaginer des choses : mon casier est blanc-bleu, comme les diams que je négocie. Vous pouvez prendre des renseignements sur mon compte, j'ai une réputation en béton.

— Je n'en doute pas, fais-je avec sincérité. Situation de famille ?

— Marié, deux enfants.

Il rougit.

— Oh ! je sais, c'est pas très reluisant pour un honnête père de famille de rambiner des dames aux terrasses des cafés, mais je vous avancerai, pour excuse, que ma femme est frigide comme tout le pôle Nord. Nos mômes, c'est tout juste si je ne les lui ai pas faits sous anesthésie, alors que moi, au contraire, chaud lapin au sang andalou, je serais plutôt du genre insatiable.

— Ne t'excuse pas, fils, c'est ton problème. Reparle-moi du frangin.

Notre nouvel « ami » écluse une partie de son glass avant de poursuivre :

— Il a eu une remise de peine et, au bout de quatre ans, il est sorti du gnouf. Ses visites et ses largesses ont repris comme par le passé. Lorsque je me suis marié, il a assisté à la cérémonie. Et quand nos enfants sont venus, il s'est mis à les gâter comme il m'avait gâté moi-même. J'étais inquiet pour lui. J'avais toujours peur qu'il retombe et se fasse serrer pour un délit de forte magnitude. J'abordais parfois la question, mais d'une pirouette il l'esquivait.

« Lors de sa dernière visite, il m'a informé qu'il allait quitter la France pour les Etats-Unis où il comptait mener une existence totalement différente, en compagnie d'un homme inouï dont il avait fait la connaissance. Il semblait surexcité. Il est parti. J'ai reçu une ou deux lettres des States. Ecrire n'était pas sa tasse de thé. Les mots, il les disait bien, mais sur le papier ils lui échappaient. Dans ses lettres, il m'annonçait qu'il allait nous payer des vacances à Miami à tout les quatre. Comme il n'indiquait pas d'adresse, je ne pouvais pas lui répondre.

« Un matin, il m'a téléphoné de là-bas afin de convenir d'une date. On avait décidé de le rejoindre pour les vacances de Pâques, fin avril. « Demande les visas, je t'adresse les billets dans les trois jours », m'a-t-il dit avant de raccrocher. Nous sommes le 4 juillet et je suis sans nouvelles de lui ; je n'ai pas reçu les billets non plus. Quelque chose me dit qu'il lui est arrivé malheur, monsieur le commissaire. J'aurais bien demandé à la police d'essayer d'avoir des renseignements, mais avec la vie que mène ce bougre de Miguel, j'ai craint de lui causer des tracasseries, vous comprenez ? »

— Oui, dis-je, je comprends.

Le dégusteur de frifris hoche la tête.

— C'est étrange, fait-il. Je devrais tout redouter de vous après ce que je me suis permis avec mademoiselle, et voilà que j'ai totalement confiance…

— Tu suis ton instinct, expliqué-je, ça prouve que tu es un gars bien. Je vais te donner de quoi écrire et tu vas me filer tes coordonnées et celles du frangin. Tu consigneras tout ce que tu sais de lui et tu m'enverras par exprès les lettres qu'il t'a adressées des States. O.K. ?

— Je ne sais pas comment vous remercier, monsieur le commissaire.

— Alors, ne me remercie pas !

On s'est quittés là-dessus.

Marie-Marie a murmuré :

— Et dire que tu vas probablement t'occuper de cette affaire.

— Tu es contre ?

— Je trouve que ce serait du temps perdu. Ces gens ne sont pas très convaincants. Miguel, un gangster ; son frère, un type marié et père de famille qui drague odieusement les femmes. Je suis certaine qu'il y a mieux à faire dans l'existence.

Elle avait l'air mauvais. Ça ne lui avait pas tellement plu que j'offre un godet à ce… Manolo ! (Il se nomme Manolo, j'ai regardé son papier, Manolo de La Roca).

Pour changer d'ambiance, je lui ai dit :

— Alors, mon amour, quand nous marions-nous ?

J'ai pris sa main et l'ai portée à mes lèvres.

A la table proche, Serge Montfourby m'a adressé un signe du pouce pour m'indiquer qu'il trouvait ma « conquête » choucarde et me complimenter.

— Rien ne presse, a soupiré Marie-Marie.

Ça m'a scié ! Une frangine qui attendait la bagouze depuis sa prime jeunesse. Qui était folle de ma pomme et ne rêvait que d'un convolage avec moi ! Au moment, tant espéré, du plongeon surprême, la voilà qui cabrait ! Alors là, je l'ai eue saumâtre. Lui ai dévidé mon « Qu'est-ce que Dieu ? », comme disait ma mère-grand. Son « Qu'est-ce que Dieu ? », elle nous le sortait à tout propos, et ça signifiait « dire son fait ».

Mais elle restait impavide, la Musaraigne.

Quand je me suis eu vidé, comme on dit dans le commerce en gros, elle a pris la parole :

— Pour me rapprocher de toi, comprendre ta vie, ton comportement, je me suis engagée dans un job similaire au tien et qui me passionne, Antoine. Je sais à présent combien on est accaparé par une enquête, à quel point elle vous capte. On s'y donne. Tu avais raison, c'est pas un travail de personne mariée. Il faut être libre pour bien le faire. Mais cela ne change rien à l'amour que je te porte, mon grand. Continuons de le vivre de toutes nos forces, de toute notre âme. Un jour, plus tard, nous verrons bien.

Elle a failli me faire chialer ! Devant cet enfoiré de Montfourby, ça allait payer ! J'ai soupiré, comme n'importe qui :

— La vie est conne !

Parce qu'il faut que je te fasse une confidence, après on n'en reparlera jamais plus : la vie est très très conne !

2

Moi, les préoccupations fraternelles du bouffeur de chattes, très franchement j'en avais rien à secouer, et il est probable que ma déception sentimentale me les aurait fait remiser dans les limbes de mon esprit si, justement, Marie-Marie ne m'avait pas fait cette réflexion sarcastique « Et dire que tu vas probablement t'occuper de cette affaire ! ». Ça m'a stimulé, comprends-tu ? Fouetté la vanité. Et la vanité, souvent, est une source d'énergie.

Sur le brin de curriculum vitré (comme dit Béru) que m'avait griffonné Manolo, se trouvait mentionnée l'année de l'arrestation du frelot. Je me suis donc rendu aux sommiers pour prendre connaissance de l'affaire. Elle était simplette. Trois guignolos, dont Miguel de La Roca, avaient braqué une banque du seizième au moment où l'on s'apprêtait à charger les fonds dans un fourgon. Opération excellemment préparée grâce à la complicité d'un des employés de l'établissement. Malheureusement, le trio de malandrins était tombé sur un héros en la personne d'un des convoyeurs. Le gus, qui avait été mercenaire dans un Etat africain, connaissait tout de la guérilla. Il avait doucement levé les bras, comme ses potes, mais, brusquement, s'était jeté à terre et avait dégainé pour allumer les malfrats. L'un d'eux s'était dégusté une bastos dans la cuisse.Celui qui intimidait les populations avec sa mitraillette avait eu la main droite déchiquetée par une balle de 9 mm, quant au *señor* Miguel, sentant que le coup tournait au lait caillé, il s'était emmené promener, coudes au corps. Mais comme c'était la journée du courage, dans le seizième : un tomobiliste l'avait coincé avec sa tire contre un camion de déménagement à l'arrêt, lui défonçant trois côtes premières. La vraie scoumoune ! Une béchamel de cette ampleur, t'en rencontres pas deux dans la carrière d'un truand ! C'était la grande kermesse aux honnêtes gens !

Moi, routine routine, je prends note des identités des deux autres potes du commando.

L'inspecteur Larichesse, qui sait manipuler nos nouveaux ordinateurs, se met au charbon et, une demi-heure plus tard, m'apporte les résultats de ses recherches. Ainsi, apprends-je que Célestin Meunier, le zigus à la main nazée par le convoyeur, est mort pendant qu'il purgeait sa peine, non des suites de sa blessure, mais d'un cancer du poumon déjà bien avancé au moment des faits. Quant à Sauveur Kajapoul, le troisième larron, une fois libéré, il est retombé pour une histoire de trafic de bagnoles volées et s'est refait trois années de tirelire. Il se serait acheté une conduite en même temps qu'un bistrot dans le quartier Saint-Denis, l'âge, ses détentions répétées et ses tribulations marloupines l'ayant calmé.

Ce qu'il y a de mystérieux et de presque ineffable entre un bandit et un poulet, c'est la manière instantanée dont ils se « situent » au premier regard.

Quand je passe la lourde du *Carré d'As*, un troquet en longueur de la rue Couchetar, mon regard croise celui de Sauveur Kajapoul (d'origine turque) accoudé à son rade sur *Paris-Turf* largement déployé.

Ses yeux, pareils à deux trous de serrure dans la porte d'une cave, surmontés de sourcils d'astrakan, me fichent à la seconde. Il sait que ce nouvel arrivant dans son rade est signé « poultok », qu'il a une brème frappée de tricolore dans sa poche intérieure droite et un calibre de premier communiant sous son aisselle gauche. Sauveur, il a du carat, pas loin de la soixantaine. Du burlingue, des bajoues en peau grise hérissée de vilains poils anarchiques, un gros pif dégueulasse plein de trous et de verrues, les portugaises en chou-fleur et une profonde cicatrice à la pommette ; mais c'est pas pour autant qu'il ressemble à Robert Hossein dans « Angélique et sa ménopause ». Ses cheveux presque blancs sont coupés très court, ce qui accentue sa frite de vieux chourineur enlisé dans la vie peinarde.

A cette heure creuse, son rade est presque désert. T'as simplement trois mecs baptisés au sécateur dans le fond, qui jouent à je ne sais quoi, mais je m'en fous trop pour aller leur demander.

Je me place au comptoir, en face de Sauveur. Il s'efforce d'achever un entrefilet sur « Belle en Cuisse », une pouliche « à suivre » capable de créer la surprise dimanche à Longchamp. Sans lever son tubercule à cratères de l'imprimé, il grogne :

— Ça sera ?

Au *Carré d'As,* c'est pas le style Pimm's ou Bloody Mary.

— Une mominette ! dis-je sobrement.

Le taulier s'arrache à *Paris-Turf* pour s'emparer d'une bouteille de Ricard munie d'un appareil doseur.

— Tu en prends une aussi ? je demande.

Il grommelle, sans me défrimer :

— On se connaît ?

— C'est imminent, Sauveur. Dans vingt minutes nous serons devenus des amis d'enfance.

Avec flegme, il verse une seconde giclée de Ricard

dans un autre verre minuscule, prend un pichet d'eau glacée dans le réfrigérateur et le place devant moi, l'anse obligeamment tournée de mon côté. Ensuite il attend.

J'empare le pot de grès (ou de force).

— Tu le noies pas, je suppose ? fais-je en l'approchant de son pastaga.

— Je le bois sec, assure-t-il.

— T'as sûrement raison, c'est plus fruité.

Je « mouille » ma mominette.

— Mais j'aurais peur que ça me foute la brûle.

— On ne s'est jamais vus ? articule le taulier, soucieux de mon débarquement dans son rade.

— Non : t'étais probablement au trou quand j'étais au moulin !

Il attend. Je bois. Je suis pas fana de l'anis. Papa, lui, adorait. Il se cognait des vraies purées avant le repas du soir. Et il racontait son propre dabe qui éclusait de l'absinthe en faisant fondre un sucre sur une cuiller percée. On avait encore la cuiller en question dans un tiroir de la desserte. Les trous composaient des motifs. On « ouvrageait » tous les ustensiles, jadis, pour rendre l'existence harmonieuse.

— Tu as deviné que je ne suis pas dans les assurances, enchaîné-je.

Il bat de ses longs cils charbonneux.

— Rassure-toi, je travaille pour la recherche dans l'intérêt des familles. Un de mes amis qui a des craintes pour son frangin, lequel est un pote à toi. Ce qui fait qu'on devrait pouvoir s'arranger.

Il vide sa mominette cul sec.

— Il s'appelle comment, ce dénominateur commun ?

Je le complimente d'un hochement de tête.

— T'as de la culture, Sauveur, t'aurais pas passé ton bac en taule, des fois ?

— Non, mais j'y ai rempaillé des chaises, c'est passionnant.

— Le frère de mon aminche se nomme Miguel de La Roca ; je suppose qu'il devait avoir un surblase dans le mitan ?

— Le Gitano, fait Kajapoul.

— Eh bien, figure-toi que ton Gitano est parti pour les Amériques. À Pâques, il a arrêté une date, depuis là-bas, avec son frelot pour le faire venir en vaccances.

— Manolo ?

— Exact. Tu le connais ?

— Non, mais le Gitano m'a beaucoup parlé de lui. A force d'évoquer les gens, ils finissent par vous devenir familiers.

Pas con, Kajapoul. Du chou ! J'aime assez. Un malfrat con est pire qu'un autre. Quand il est intelligent, il est plus dangereux mais d'un commerce plus agréable.

— Donc, il a invité son cadet aux States et lui a annoncé qu'il lui envoyait des billets pour lui et sa *family*. Seulement depuis, Manolo est sans nouvelles et il a un mauvais pressentiment. Par amitié, je lui ai promis de me rencarder sur ce mystère. Tout ce que je te casse là est blanc-bleu, mec. Voilà le tubophone de Manolo, il te confirmera le topo. J'aimerais que tu le fasses pour bien te convaincre que c'est pas un piège à con que je te tends.

— Pas la peine, fait le Turc, je connais les hommes, je sais quand on me chambre et quand on me parle à la loyale. Qu'est-ce que je peux faire, dans ce fourbi, moi ? Depuis mon rade où j'ai pris ma retraite, les dernières nouvelles U.S., vous savez...

— Manolo prétend que son frère a fait une rencontre exceptionnelle : un mec grand style, sortant des sentiers battus. Paraîtrait que c'est ce gus providentiel qui l'aurait embarqué chez les Ricains. T'es au courant, Sauveur ?

Illico il opine.

— Tout à fait. C'est une drôle d'histoire, vous savez.

« Vous savez », c'est un peu son leitmotiv, Sauveur. Tout le monde a ses petites répètes de langage, des mots ou des phrases qui ponctuent la pensée.

— Raconte !

— A la fin de ma période friponne, je m'amusais dans les bagnoles de classe. J'avais des petits mecs qui les piquaient et les amenaient dans mon entrepôt où on les maquillait avant de les fourguer chez les troncs du Moyen-Orient. Je vous en parle relaxe vu que je suis tombé pour ce trafic et que j'ai payé. Bien que ce ne soit pas sa spécialité, mais plutôt pour le sport, car il raffolait des tires performantes, le Gitano m'apportait de temps en temps une BMW, une Porsche, voire une Ferrari. On était liés depuis lurette, les deux. C'est un gars de première, l'Espanche. Un vrai julot. Travailler ensemble, ça constituait une espèce d'acte d'amitié, vous savez...

— Je comprends.

— Voilà qu'un jour, il s'amène comme un milord au volant d'une Rolls rutilante. « Ce tas de ferraille t'intéresse aussi ? » il me demande. Vous pensez ! Mes marchands de pétrole, ils se seraient épluchés la peau des couilles pour avoir une Rolls. Donc, on traite l'affaire, ce qui était fastoche parce que le blé, entre nous, c'était juste pour le folklore. Ensuite, je débouche une roteuse car j'avais un frigo dans mon entrepôt. On sable le champ'. Le Gitano, chacune de nos retrouvailles devenait une fiesta. On biberonnait une rouille, puis deux ; ensuite on allait claper dans une cage heurf et ça se finissait au bouik où on tirait la même frangine. Lui, il adorait la tarte aux poils et l'œil de bronze, et on fourrait la souris en duettistes. Il trouvait le moyen de plaisanter en limant, ce con ! Un self-control à toute épreuve...

Voilà qu'emporté par ses évocations, il remet un tournée : des doubles.

— Ne me fais pas languir, Sauveur, je pressens de la péripétie !

— Vous pouvez ! Comme on est là à roter notre Dom Pérignon, la porte de ma taule part à dame, because un camion qui l'emplâtre à toute vibure. Deux mecs sautent du Mac, feux en pognes. Ils nous braquent méchamment, sans en casser une.

Un troisième personnage descend du quinze tonnes. Un zig pas du tout fait pour employer ce genre de véhicule : grand, mince, la cinquantaine, habillé d'alpaga noir, chemise blanche, des lunettes à monture d'or aux verres teintés. Au gnouf j'ai ligoté des « Série Noire », il faisait songer à un personnage d'Hadley Chase, vous savez ?

— Oui, je sais. C'est passionnant. Après ?

— Ce gusman s'avance tranquillos jusqu'à nous qui étions là à attraper les nuages devant les arquebuses des mecs. Il parle. Accent amerloque. Il dit : « Je viens reprendre ma Rolls que vous m'aviez empruntée. » Alors, du coup, on était cloués, le Gitano et moi. Le bonhomme ajoute : « On vous laisse ce camion, comme lot de consolation ». Et il sourit sous ses lunettes sombres. Puis il fait un geste à ses sbires. L'un d'eux s'approche de Miguel, lui cloque son feu entre les omoplates et lui désigne la Rolls. « Monte ! ». On aurait juré une scène de film, série B américaine en noir et blanc, vous savez ?

J'opine. Oui, oui, je sais. J'imagine parfaitement le déroulement de l'opération.

Sauveur continue :

— Ils sont tous grimpés dans la Rolls et se sont cassés. Le Gitano m'a filé un regard qui ressemblait à un adieu. Il pensait qu'il venait de faire un galoup à un caïd et qu'on l'emportait pour le punir. Il se voyait déjà avec deux bastos dans la pensarde ; moi aussi d'ailleurs. Pourtant, je me disais que s'ils avaient eu l'intention de l'allonger, ils m'auraient praliné itou, pas laisser en circulation un témoin.

« Alors bon, ils se taillent et je reste comme un con devant ma lourde défoncée et ce camion branlant piqué sur un chantier. Je me rongeais les sangs pour mon pote. Le lendemain, le Gitano m'a filé un coup de turlu. Très bref. « Juste pour te rassurer, m'a-t-il dit. Te fais pas de bile, Bill, je passerai te voir bientôt. » Bon, de l'entendre jacter m'a soulagé. Le crack d'Hadley Chase n'avait donc pas commis l'irréparable ».

— Il est allé te voir ? interrogé-je.

— Oui, à mon domicile, mais je ne m'y trouvais pas ; c'est Maryse, ma fille, qui l'a reçu. Il était pressé. Il l'a chargée de me dire que tout baignait avec le type de la Rolls. Ce mec lui avait confié un turbin dans lequel Miguel avait fait merveille. Le Ricain était tellement satisfait qu'il l'avait pris avec lui dans son « affaire ». Paraît qu'il jubilait, le Gitano. Il allait tâter au business international, larguer le bricolage franchouillard pour des opés de haut niveau, tout ça ; partir en Amérique, dans le Mississippi, dès la semaine prochaine. Il m'écrirait.

— Et il t'a écrit ?

— Oui, mais je me suis fait serrer pour mon négoce de bagnoles au même moment. Comme c'était une carte postale qu'il m'adressait, ma fille l'a coincée dans le cadre d'une glace et je ne l'ai trouvée que beaucoup plus tard, à ma sortie de pension.

— Elle venait d'où ?

— D'Amérique.

— Mais encore ?

— Je ne me souviens plus. En tout cas, je l'ai toujours ; elle est encore à la maison. Vous voulez la récupérer ?

— J'aimerais.

Il regarde sa tocante.

— Ma fille est rentrée, moi je ne peux pas quitter mon rade, mais si vous voulez passer, je tube à Maryse pour la prévenir ?

— T'es serviable, mec. J'ai idée que si tu ne fais plus trop de vagues, tu peux espérer une vieillesse heureuse.

Il sourit.

— C'est ma môme qui m'a remis en selle. La dernière fois que je suis sorti du trou, je l'ai trouvée changée. Elle avait grandi, mûri ; c'était devenu une femme. Sa mère est mal portante et c'est elle qui s'occupe de tout. Elle m'a coincé dans notre salle de bains, pendant que je me rasais. Elle m'a dit : « Papa, tu sais que j'aimerais bien avoir un père avant d'avoir des enfants, un jour ? Les parloirs, c'est pas pratique pour dorloter son vieux ! » Elle s'est foutue à chialer. Moi aussi. Depuis cet instant, je suis nickel.

Je lui tends la main.

— Compliment, Sauveur. T'as une fille bien et, toi-même, tu ne dois pas être si mal que ça, vieux forban !

On se quitte. J'oublie de carmer les consos, mais je pense qu'il aurait pas accepté mon carbure, au point où nous en sommes.

Il a tout de même dû engranger, Sauveur, au cours de ses arnaqueries, si j'en juge à la qualité de son appartement. Un demi-étage dans un immeuble neuf à la Muette, faut avoir l'osier ! C'est sa grande fille qui vient débonder, et je remercie le ciel qu'elle ne ressemble pas à son vieux. Du moins pas trop. Y a juste le regard qui soit signé Kajapoul. Des mirettes soucoupes, d'un noir brillant d'insecte, veloutées et ardentes, qui plongent au fond de toi comme des fers de lance, ainsi que l'a écrit Alexandre Dumas dans sa biographie de Canuet. Elle est royale, cette frangine ! Sculptée pleine viande par un génie à la Michel-Ange ! Le teint très clair, la bouche spirituelle, des dents de dévoreuse. Ses cheveux sombres et lourds sont assez longs et séparés par une raie de côté. Elle porte un grand T-shirt rose pâle qui lui descend aux cuisses, et rien d'autre ! Peut-être un slip ? Elle est nu-pieds, ce qui accentue le côté sauvageonne de la personne.

— Salut! me dit-elle, Papa m'a prévenue.

J'entre. La porte ouvre carrément sur le living, lequel est meublé de façon hétéroclite. J'avise une dame exténuée dans un fauteuil, avec un plaid sur les genoux. Mon arrivé ne l'intéresse pas. Elle s'écoute mourir, et le reste, fume!

— Passons dans ma chambre! fait Maryse.

Elle pousse une porte, et je débarque dans une pièce agréable, complètement blanche. Juste le couvre-lit est bleu pastel et aussi le tapis, j'oubliais.

— Asseyez-vous! invite la fille en me désignant le canapé deux places. Vous voulez, paraît-il, la carte postale du copain de papa?

— En effet.

— La voilà!

Elle l'a déjà préparée, et le rectangle de carton est posé sur une table basse, devant mon siège. J'empare. Une méchante photo représente une jetée de bois s'avançant dans une mer d'un bleu pas croyable. C'est angoissant de solitude. Détail anachronique, un vélo est appuyé contre le socle de départ du ponton. La légende indique: « Gulfport, Mississippi ». Moi, je veux bien, mais l'image pourrait aussi parfaitement se situer du côté de Fécamp, d'Ostende ou de Brindisi.

Je la retourne et je lis:

Vieux Drôle,

Tout baigne. La vie de château! Voilà ce que j'aperçois de ma fenêtre! On est des pommes, en France. J'en aurai un paxif à te bonir quand on se reverra. J'espère que, pour toi, la carburation se fait bien. La bise. Ton Gitano.

Je copie le texte sur mon carnet, puis examine le tampon de la poste. Il indique: « Long Beach, Miss. 02-4-1987 » Il a une petite écriture pattes de mouche, le Miguel, un peu tremblée. Chose curieuse, il ne fait pas de fautes d'orthographe, ce qui surprend chez un être ayant passé son enfance et son adolescence à courir les rues. Peut-être lui a-t-on enseigné la grammaire en maison de redressement ?

— Ça vous est utile ? questionne Maryse.

— Je pense, oui.

— Mon père me dit qu'on est sans nouvelles du Gitano.

— Vous le connaissez ?

— Je l'ai vu à plusieurs reprises.

— Quel genre de type ?

Elle hoche la tête, sans répondre, mais je devine que son avis n'est pas favorable. Elle s'est assise en tailleur sur le tapis, face à moi et a fourré le pan avant du T-shirt entre ses jambes, pudiquement. Elle est formide, cette sœur ! Je lui donne plus de vingt piges. Comment se fait-il qu'elle continue d'habiter chez papa-maman ?

— Que faites-vous dans la vie ? questionné-je.

— Je suis folle.

— C'est pas un métier.

— J'étudie l'archéologie. Faut être dingue, non ?

— Au contraire. L'étude des civilisations anciennes me passionne également.

— Vraiment ?

— Vraiment.

— Pourquoi êtes-vous flic, alors ?

— Quand j'étais môme, avec mes potes, on jouait aux gendarmes et aux voleurs ; je faisais toujours le voleur, j'ai voulu changer.

Elle rit.

— Vous habitez chez vos parents ? fais-je avec une pointe d'humour qui ne t'aura pas échappé bien que tu sois con comme un balai.

— Oui. Ma mère a besoin de moi ; mon père également, d'ailleurs.

— Vous êtes une fille de devoir.

— Non, de tendresse

— Moi aussi, j'habite chez ma maman, je connais donc bien la question.

J'ajoute :

— Et l'amour ?

Elle hausse ses charmantes épaules. La gauche est presque dénudée et on a son sein en amorce.

— A l'occasion, dit-elle. Et vous ?

Je réponds :

— A l'occasion.

Et bon, on se tait, vaguement gênés, nous disant que « l'occasion » est peut-être au rendez-vous. Si notre tête-à-tête dans sa chambre n'en est pas une, alors c'est quoi, « une occase », hmm ?

Mais enfin, c'est délicat, tu comprends ? On ne va pas se mettre à se renifler, de but en blanc, puis à se rouler des galoches avant d'entamer l'hymne glorieux du sifflet dans la tirelire. Je ne suis pas un caribou en rut, ni elle une biche au slip humide. D'ailleurs, en porte-t-elle un, seulement ? Ce point n'a toujours pas été éclairci. Cruel dilemme.

Je dis :

— Je suis content que vous ayez acheté une conduite à votre père, Maryse.

Elle me flashe, lit dans mes yeux.

— Il vous a dit ?

— Que vous représentez son salut. C'est pas le pied d'être la fille d'un malfrat, n'est-ce pas ?

— L'essentiel, c'est d'aimer. Que votre père soit en prison ou dans un ministère, votre tendresse reste la même, ou alors c'est que vous ne l'aimez pas.

— C'est joli, ce que vous dites.

— Quand on est sincère, tout ce qu'on dit l'est plus ou moins.

— Je ne vais pas vous importuner davantage.

— Vous ne m'importunez pas.

Je me dresse comme un mec harassé. La carte postale du sieur de La Roca est posée de traviole sur la table. *Le ponton de Gulfport*. Ça pourrait être le titre d'un film.

D'un film d'amour. Y aurait un homme, une femme qui marcheraient sur la jetée en direction de la mer, sur fond de soleil couchant. Ils se tiendraient par la main, la fille serait brune, comme Maryse, et le vélo appuyé au ponton serait une bicyclette de femme.

— Pas intéressant, selon vous, le Gitano ? Convenez-en.

Elle fait la moue.

— C'est probablement un bon copain pour mon père, mais je le trouvais trop voyou. Ces gens-là ne parlent pas le même langage que... nous. Il existe comme une vitre entre leur personnalité et la nôtre. Dans un confessional, il y a la place du prêtre et celle du pénitent. Le curé peut prendre la place du pénitent, mais l'inverse n'est pas possible.

— Pourquoi cette image ?

— Un truand comme le Gitano ne pourra jamais se mettre à la place d'un honnête homme.

— Tandis que votre père, lui, y est parvenu ?

— Il subsistait quelque chose de sain, en lui : son culte de la famille.

— Le Gitano aussi l'avait, Maryse. Pendant des années, il s'est occupé de son demi-frère.

Elle paraît interloquée.

— Je l'ignorais.

— Et pourtant c'est exact, je tiens la chose du demi-frère en personne. C'est à la demande de ce dernier que je fais des recherches pour essayer de savoir ce qui est advenu à Miguel de La Roca.

Nous avons atteint la porte. Je l'ouvre moi-même. Maryse me tend la main.

— Au revoir !

C'est curieux, il me vient un coup de mélanco. On s'en serre cinq, nos yeux ont du mal à se séparer. Mais la porte se referme. Sur le paillasson, voilà que je me sens seulâbre comme un arbre sur un trottoir, au milieu de sa couronne de fonte. Alors je sonne, trois petits coups précipités, faire comprendre à Maryse que c'est ma pomme. Elle avait dû rester derrière le chambranle car elle rouvre instantanément.

Son sourire, son regard comme deux coups de dague !

— Pardonnez-moi, fais-je, j'ai oublié quelque chose.

Je drope jusqu'à sa carrée. Elle me suit, curieuse. Quand elle a franchi le seuil et qu'elle m'avise, pique-plante au milieu de la chambre, elle murmure :

— Qu'avez-vous oublié ?

Alors je la chope à pleins bras, la presse éperdument contre moi et lui bouffe si fort la gueule que nos chailles crissent comme les roues d'un tramway dans un virage.

Comment qu'elle participe, la môme ! Oh ! cette étreinte farouche, passe-moi du peu et excuse le pompiérisme du style. On en a les lèvres qui saignent. Elle enroule sa langue autour de la mienne, ses jambes autour des miennes, ses bras autour de ma taille. C'est étincelant comme tu peux pas envisager.   D'une intensité terrible. On se veut et on se prend à bloc, à fond, à mort.

Elle porte bel et bien une culotte, mais qui m'obéit au doigt et à l'œil, si bien que je la calce sur son beau canapé blanc sans avoir pris le temps de dépantalonner. J'espère qu'il y a du K2 R dans la maison, pour conjurer les taches.

LE BAIN DE SOLEIL

Il repéra un endroit, en bordure de la côte où le fond de la mer était très clair car il détestait se baigner parmi des algues dont le contact visqueux et moelleux le faisait chaque fois frémir. Il débraya le moteur et s'avança vers la proue pour mouiller l'ancre. L'ennui, dans ces parties claires, c'est que celle-ci chassait sur le sable. Il cria à sa compagne d'enclencher la marche arrière sans toucher aux vitesses. L'embarcation se mit néanmoins à reculer. Lorsque la corde de l'ancre fut tendue, il fit signe à Dora de couper le moteur. Un silence enveloppé d'une fumée huileuse s'abattit sur eux, et la chaleur, jusque-là conjurée par le déplacement du bateau, devint une sorte de souffle embrasé.

Dora ôta son soutien-gorge et s'allongea sur le bain de soleil, à plat ventre.

— Tu ne te baignes pas ? questionna Quentin.

— Je sors de chez le coiffeur.

Ils avaient une party, le même soir, chez un gros « client » de Quentin. L'homme sourit. Ces pauvres bonnes femmes sacrifiaient les joies les plus élémentaires à leurs cheveux. Il ôta son short blanc. Dessous, il portait un slip de bain jaune qui s'harmonisait avec son corps couleur pain brûlé. Quentin restait bronzé toute l'année, grâce au soleil ou à la lampe de sa salle de culture physique.

Il gagna la plage arrière pour un de ces plongeons spectaculaires qu'il se plaisait à exécuter.

Un brin macho, il jeta un regard circulaire pour évaluer le public féminin susceptible de s'intéresser à ses exploits. Un grand nombre d'embarcations se laissaient bercer alentour dans un clapotis monotone. Accablés par la chaleur, leurs passagers gisaient sur des bains de soleil. Des gamins braillards se baignaient ou se poursuivaient le long de bastingages exigus. La température semblait ne rien ôter à leur vitalité.

— Essaie de ne pas trop m'éclabousser! implora Dora.

Il avait déjà pris son élan et décrivait un arc de cercle somptueux. Il pénétra dans l'onde bleue avec la grâce d'un squale, s'enfonçant dans les profondeurs pour remonter aussitôt avec la même souplesse. Il jaillit de l'onde, ses cheveux bruns plaqués sur sa tête l'emboîtant tel un casque luisant. Alors il se mit à nager le crawl en direction de la rive aux rochers rouges, où des amoureux cherchaient quelque infractuosité pour abriter leurs étreintes.

Dora somnolait dans cette torpeur brûlante de l'après-midi, ne s'interrompant que pour s'oindre le corps d'ambre solaire. Chaque fois qu'elle s'abandonnait ainsi sur le vaste coussin de skaï blanc, une langueur sensuelle venait la tourmenter. Lorsque Quentin remonterait, après le bain, ruisselant et superbe, il s'agenouillerait à son côté, promènerait sa main mouillée sur les cuisses fermes de son amie, les parcourant lentement jusqu'à son sexe. Au bout d'un moment de ce manège, elle se mettrait à ronronner de plaisir, alors ils ramperaient jusqu'à l'espèce de roof où étaient installés une large couchette basse et un réfrigérateur. Là, il lui ferait l'amour et ce serait infiniment voluptueux, ce corps humide de l'un sur le corps huileux de l'autre. Leurs baisers indicrets auraient un goût de sel pour elle et d'amande amère pour lui. Depuis les autres bateaux, s'apercevrait-on que le leur semblait être bercé par une forte houle qui épargnait les embarcations voisines ?

Dora attendit. Quelque part, un électrophone portable agressait les tympans en lâchant sur la félicité ambiante les accents sauvages d'un groupe rock à la mode. Elle s'énervait. L'impatience la gagnait. Elle sentait ses seins s'affermir sur la surface lisse du matelas. La musique, répercutée par l'eau, devenait insoutenable. Certaines personnes sont des monstres d'égoïsme ; il était inqualifiable d'infliger à toute une communauté plaisancière ses goûts musicaux. Dora se mit sur un coude pour chercher Quentin du regard et l'appeler. Il était temps qu'il vienne la rejoindre. Mais elle ne l'aperçut pas. Elle abandonna le côté rive pour regarder en direction du large. Son amant ne s'y trouvait pas davantage. Troublée, la jeune femme s'agenouilla afin de se pencher sur le flanc blanc du bateau. Elle eut un haut-le-corps en découvrant une sorte de nuage rouge et filandreux à la surface de l'eau.

— Quentin ! appela-t-elle.

La pensée qu'un requin avait pu se risquer jusqu'à eux l'effleura, mais elle la repoussa. Impensable ! D'ailleurs, ce nuage pourpre ne pouvait être du sang. Aucun bateau ne s'était approché du leur, par conséquent Quentin n'avait pu être blessé par une hélice. Pourquoi associait-elle son amant à « la chose » rouge qui ressemblait à une fumée matérialisée ?

— Quentin ! Où es-tu ?

Le groupe rock se déchaînait. Les gosses hurlaient de rire. Des oiseaux de mer passaient d'un vol pénible, comme s'ils venaient de traverser l'océan.

Dora se dressa et se rendit sur tribord pour voir si le même nuage, s'y trouvait. Il était beaucoup plus dense de ce côté-là, plus large aussi. La jeune femme se pencha davantage et elle aperçut le corps sombre de Quentin, flottant sur le dos entre deux eaux. Sa tête sectionnée avait disparu.

Alors elle se mit à hurler.

CE FUT LE PREMIER MEURTRE

3

Le plus chiatique, quand tu repeins un portail de fer, c'est pas de le recouvrir de nouvelle couleur, c'est le débarrasser de l'ancienne.

Je suis là, à m'escrimer avec de la toile émeri sur les barrreaux rouillés, pestant contre cet élan qui m'a poussé à dire à Félicie, ce matin, en prenant le caoua :

« — Tiens, aujourd'hui, puisque je fais relâche, je vais repeindre le portail ! »

Tu l'aurais vu illuminer des lampions, ma *mother* ! C'est pas que le portail soit repeint qui la rend joyce, c'est qu'il le soit par moi, tu écoutes la différence ? J'aurais douillé une entreprise pour fignoler la chose, ça lui aurait fait à peine plaisir, ma Féloche. Mais que je mette la main à la pâte lui donnait un rare bonheur. Elle allait toucher le plus bioutifoul portail de Saint-Cloud, voire de tout le département des Hauts-de-Seine !

J'ai passé des fringues cradoches, de celles qu'on refile au Secours national quand il organise un ramassage : vieux futal de velours râpé, limouille craquée sous les manches, au col et poignets élimés, mocassins de cuir aux semelles bâillantes, tu vois la silhouette du julot ? C'est pas dans *Adam* que tu risques de la retapisser.

Et j'ai requis l'assistance de Maria, notre ancillaire

espagote, Miss Poilauxpattes. Un temps que je l'ai pas
tirée, la môme! C'est triste à dire, mais elle me joue les
bouche-trous, si tu veux bien me passer l'expression.

Quand je rentre, plus ou moins fourbu d'une épuipée
sauvage (sans avoir eu le temps de pointer une frangine)
et que mes glandes me tarabustent le sensoriel, je la
grimpe, l'Andalouse. Elle pâme rien qu'en me voyant,
et surtout crois pas que je me vante, c'est pas mon style.

Elle est toujours en attente de mon bon vouloir. Elle
cherche sans cesse dans mon œil la petite lueur salace,
avant-coureuse, cette bougresse. Oh! je me gaffe bien
qu'elle doit avoir un gredin ibérique qui la brosse ses
jours de congé. Le cul, c'est incontournable, sentiments
ou non! Les gonzesse qui jouent « Back Street » sont
devenues rarissimes; Maria, elle raffole trop du radada
pour négliger l'embroque tout-venante, mais son palpi-
tant est branché sur la haute tension san-antoniaise.

Je lui ai donné à racler la partie pleine du portail,
c'est-à-dire le boulot le plus coton. Seringuer les barreaux supérieurs, en comparaison, c'est de la dentelle.
Elle y va au jus de coude, la mère. Si puissamment
qu'elle ébranle le portail. Elle se tient accroupie sur ses
talons, comme seules sont capables de le faire les filles
du sud. Sa jupe large est remontée et pend entre ses
jambes ouvertes.

Moi, je lorgne, en gros dégueu que je suis. Jamais
laisser perdre un jeton de présence!

— Remontez votre jupe un peu plus haut, demandé-
je.

Elle se fait pas répéter, pigeant illico qu'il y a comme
qui dirait de la bite sur la rampe de lancement, et que ça
va être le « quatorze juillet » du bicentenaire dans sa
culotte avant lurette. Je visionne aigu en raclant le
barreau : œil de lynx! Elle porte un slip gris (ou alors
c'est un blanc qui flanche sérieusement). Comme elle
toisonne à mort, y a plein d'astrakan qui dépasse, part et
d'autre.

Je m'interroge le pafoski. A-t-il faim de miches ou
quoi ? J'évoque le gros dargif de Maria (elle est plutôt
mince, mais se traîne un cul de lavandière). Réflexion
faite, je préférerais me taper un porto de ma réserve
personnelle (cinquante ans d'âge). Voilà que je trompe
l'Espagne avec le Portugal !

— Jé réviens tout dé souite ! elle fait en fonçant vers la
casa.

Je prends un peu de recul pour évaluer la progression
du travail de « préparation » (c'est ainsi qu'on dit en
langage plâtrieur). Me reste un barreau après celui qui
est en cours, et Maria n'a plus que la face extérieure à
gratter. D'ici pas longtemps je vais pouvoir tartiner du
pinceau. J'avais déjà acheté la peinture, la semaine
passée. Plusieurs pots de couleur « vert anglais », très
chic. Séchage rapide. Ce soir on pourra « toucher » !

Maria revient, se remet au turbin. La garce ! Elle est
allée ôter sa culotte. La cressonnière en délire, elle
s'écarte à s'en déchirer le molusque ! Vue aérienne de la
forêt noire ! Avec, en son milieu, la vallée des délices aux
méandres roses. Là, ça me court-jute le sensoriel. Je suis
trop sensible de la grosse veine bleue, ça me perdra !

— T'es une grande salope, je lui murmure en souriant.

Elle inonde de bonheur.

— *Si, señor.*

Le *señor* commence à bandocher dans son vieux froc
de velours. Où est-ce que je vais aller la calcer, cette
greluse ? Dans la maison, y a m'man, c'est guère possible. Bon, on dit l'appentis, au fond du *garden*. On y
remisait les outils et meubles de jardin, puis un jour je
l'ai fait agrandir et aménager, en loucedé, sans demander d'autorisation à la commune pour transformer ledit
en chambre d'appoint. Oh ! c'est pas la Tour du *Wal-
dorf* ! Ça fournit une pièce de quatre mètres sur trois,
avec juste un lavabo. Pour les chiches, faut gagner la
maison, mais, comme le dit Félicie, « ça dépanne ».

La preuve !

Je murmure :

— Va m'attendre dans la petite maison, salope !

— *Si, señor*.

— Inutile de te déshabiller. Tu te mets à genoux sur le lit, la robe retroussée, et tu m'attends ! Tu verras, tu le regretteras pas.

Comment qu'elle s'active, la Maria ! Comme si, déjà, elle venait de dérouiller une fusée dans les meules ! Dès lors, ça me fouette le sang de l'imaginer en position d'attente. Parée pour la mise à feu ! Les jambes écartées, prenant appui sur ses genoux, et sa jupaille rabattue par-dessus la tronche. Tu ne sais plus s'il s'agit d'une femme ou d'un appareil photographique ancien.

A cette époque, notre tonnelle est fleurie et s'interpose entre la maison et le portail. M'man ne peut pas nous voir depuis sa cuistance où elle élabore des rognons au madère.

Juste comme je m'apprête à rejoindre mon Espanche pour une superbe bourrée auvergnate, une grosse Mercedes vert Nil s'arrête devant chez nous. Le conducteur en descend. Un mec trapu et un tantisoit claudiquant. Je reconnais Sauveur Kajapoul. Plus du tout en patron de troquet, mais saboulé cossu, à la notaire de province : costar gris à fines rayures blanches, chemise blanche, cravate noire. Je ne l'ai plus revu depuis ma visite à son rade. Il semble soucieux. On pige dès l'abord qu'il lui est arrivé un turbin.

— Salut, commissaire ! me fait-il. En plein travail, vous êtes de repos ?

Tiens, il connaît mon titre et, qui plus est, mon adresse !

— Faut bien occuper ses loisirs, réponds-je en serrant sa grosse pogne aux doigts courts. Y a du zef dans ta vie, Sauveur ?

— On vient d'enterrer ma pauvre femme.

Ah! bon. C'est donc pour ça que Maryse ne me donne plus signe de vie depuis quelques jours alors qu'on carburait comme des fous, les deux. Une sacrée affaire, au niveau du matelas, la môme.

— Condoléances, mec.

Il hausse les épaules.

— Oh! on s'y attendait, et pour elle c'est une délivrance. N'empêche qu'on prend ça dans la gueule quand ça se produit.

Il me regarde, les mains dans les poches de son veston.

— T'as quelque chose à me dire? je demande.

Il hoche la tête.

— Une propose... Complètement barjo, je m'en rends compte en vous voyant...

Sans doute s'agit-il de sa grande fille. Sait-il qu'on vit une liaison fougueuse, elle et moi?

— Viens boire un gorgeon à la maison, Sauveur.

Il me suit jusqu'au pavillon. Toinet a mobilisé le living pour construire une maquette d'hélico de l'armée U.S. Il a la passion des hélicoptères. Y a des pièces partout, des plans, des papiers, de la colle, des éléments de balsa, des outils...

— Tu peux nous laisser un moment, Antoine? Va continuer dans ta chambre!

Il proteste:

— T'as vu ce cirque! Je vais pas me coltiner tout ce fourbi dans ma piaule où j'ai pas mes aises pour travailler!

— Casse-toi, je te dis. On ne touchera à rien.

— Tu jures? C'est délicat...

— Merde, dégage! Pourquoi veux-tu qu'on foute la vérole dans ton chantier!

Il sort en maugréant. Regard sinistre à Sauveur, coupable de perturber ses travaux d'Hercule par sa visite.

— C'est votre fils, commissaire?

— Adoptif! Ses parents étaient des truands patentés

qui sont morts au champ d'honneur. Dépose-toi. Qu'est-ce que je t'offre ? Si tu aimes le porto, je possède un vrai nectar.

— Trop délicat pour moi, commissaire. Un apéro courant me conviendra parfaitement.

Je lui trouve un fond de Cinzano dans la desserte où l'on remise les flacons. M'man qui ne nous a pas entendu arriver chante *Roses de Picardie* dans sa cuistance. C'est marrant, sa voix chantée ne ressemble pas à sa voix parlée : quand je l'entends, je crois toujours qu'il s'agit de quelqu'un d'autre.

— Je vais chercher un peu de glace, dis-je mollement.

Il me sauve de la corvée :

— Ne vous donnez pas cette peine, commissaire, je le prends tel quel.

On goûte chacun son breuvage. Les simagrées de la bienséance. Offrir à boire, quelle connerie ! Pourquoi pas offrir à baiser ? « Vous vous laisserez bien faire une pipe par mon épouse, cher ami ? » Ce serait plus convivial, après tout.

— Qu'est-ce que tu voulais me dire, Sauveur ?

Il regarde son verre, ses reflets ambrés.

— C'est rapport au Gitano, commissaire. Mais avant, faut que je vous prévienne d'une chose : Maryse n'a pas de secrets pour moi.

O.K. ! Enregistré ! Sa grande fille lui a appris que je la tirais et il m'informe qu'il est au courant de la chose ; probable que ça comporte une importance pour la suite de son exposé.

— C'est d'une fille bien, réponds-je sobrement.

Hermétique, l'Antonio. Prudent avec les « papas ».

Il opine :

— Elle *est* bien. La mort de sa mère lui cause un gros chagrin.

— Je m'en doute.

Je n'ose ajouter « que je me mets à sa place » parce

que, même à l'état de formule de sympathie, je ne peux pas proférer de telles paroles. M'man est immortelle, point à la ligne. Je connais le Seigneur : Il ne me jouera jamais un sale tour de cette ampleur.

— Maintenant, je repasse à Miguel : vous avez du nouveau à son sujet ?

— Pratiquement pas. J'ai pris contact avec un copain à moi qui travaille au F.B.I. en lui fournissant les tuyaux que m'apportait ta carte postale. Il a refilé le bébé à un de ses correspondants du Mississippi, lequel lui a appris que de La Roca a effectivement séjourné chez un mec habitant Gulfport, un certain Irving Clay, à la réputation plus que douteuse, ayant trempé dans une tripotée d'affaires louches dont il a toujours su se sortir. Le correspondant de mon pote ricain n'a rien appris de particulier sur le comportement du Gitano à Gulfport. Il pense que ce dernier devait servir de garde du corps à Clay. Et puis Irving Clay est décédé, de sa bonne mort soit dit en passant : le crabe. Depuis lors Miguel de La Roca a disparu et personne, pas même les services d'Immigration, n'a jamais plus entendu parler de lui.

— C'est tout ?

— Hélas.

— Votre sentiment, commissaire ?

— Je n'ai pas de sentiment, Sauveur. Ton pote, après la mort de son « bienfaiteur », a dû se reconvertir dans une bande d'arnaqueurs de là-bas, je suppose.

— Et y a pas mèche de le retrouver ?

— Tu sais, les flics yankees ont d'autres chats à fouetter. Si ton aminche tombe à la suite d'une mauvaise affaire, il refera surface et il se peut que mon ami du F.B.I. me prévienne ; comme il se peut également que lui-même n'en soit pas informé !

— Donc, c'est râpé ?

— Je ne peux guère te laisser d'espoir.

Un temps. Je regarde par la fenêtre, tout au bout du

jardin, il y a l'apprentis. Merde, j'ai oublié Maria qui doit m'attendre, le jupon rabattu sur la tête, le postère à dispose. Peut-être profite-t-elle de sa position pour prier ?

— Il vous arrive de prendre des vacances, commissaire ?

— Cette connerie, naturellement ! Pourquoi ?

— Parce qu'il m'est venu une idée que vous allez juger folle, probablement.

— Balance, je verrai.

— Supposons que vous preniez une quinzaine ; après tout on est en juillet, non ?

— Et alors ?

Il tousse.

— J'ai affuré pas mal de fraîche, pour tout vous dire, en me réveillant, ce matin, j'ai pensé : « Et si on allait voir là-bas avec le commissaire » ?

— Qui, on ?

— Ben, Maryse et moi ; avec vous. Je douille le voyage, les frais de séjour, tout. Ma gosse, ça lui change les idées, à moi aussi d'ailleurs. On vous regarde enquêter, au besoin on vous aide, commissaire. Voyez-vous, le Miguel j'ai une dette de reconnaissance envers lui, comme on dit. Quand on a braqué le fourgon qui transportait des fonds et qu'un des chiens de garde nous a balancé la purée, il lui a sauté sur le paltock et j'ai seulement écopé d'une bastos dans la cuisse ; s'il n'avait pas eu ce geste, le Gitano, je morflais un trou grand comme le cratère du Vésuve dans la poitrine.

Maintenant il parle, parle, pour noyer l'énormité de sa propose, Sauveur. Il sait qu'elle est saugrenue, insensée, pratiquement inacceptable pour un officier de police. Si les poulets de haut niveau se font sponsoriser par des malfrats repentis pour retrouver leurs copains disparus, où ça va, ça ?

Et malgré tout, mon côté farfadingue l'emporte.

— On déboulerait à Gulfport, les trois. On se rencarderait à propos du Gitano. Peut-être parviendrions-nous à retrouver sa piste ; un mec de votre calibre, j'ai confiance !

Il soupire :

— Ma gosse est vachement accro en ce qui vous concerne. Cette équipée, ce serait une remise sur rail. Elle s'est tellement consacrée à ma pauvre femme ! Vous savez, plus les parents vous mobilisent, plus ils vous manquent quand ils disparaissent.

Et puis là, il la ferme, comprenant qu'il a tout dit et que ce qu'il pourrait ajouter de plus pour me convaincre serait de trop.

Je prends le temps de déguster mon divin porto, histoire de mettre Kajapoul sur le gril. Dans le fond, son idée tombe à pic. J'allais prendre des vacances incessamment. Je devais rejoindre Jérémie Blanc au Sénégal, dans son village perdu. Les tam-tams, les vilains insectes, les bouffes au piment, ça sera pour une autre année. Je lui télégraphierai que j'ai un empêchement.

— D'accord, Sauveur. A une condition.

Il s'éclaire, que dis-je : s'illumine.

— Oh ! commissaire ! Là, vous vous me faites plaisir. J'accepte votre condition, toutes vos conditions.

— Je carmerai mon voyage, Air France me fait des prix poulets.

Il va pour protester, se ravise :

— Vous ne voulez pas vous laisser rincer avec du pognon douteux ?

— Exact. Je peux pas me permettre d'introduire le doigt dans ce genre d'engrenage.

Il renfrogne un peu, l'air de dire : « Tu veux pas y mettre le doigt, mais ta bite, tu l'as déjà fourrée dans l'engrenage de la truanderie puisque tu sautes ma gosse, grand dégueulasse ! »

Oui, ça exactement, il pense, Sauveur. Je le lis en

caractères géants dans ses yeux. Seulement il a le tact de
ne pas proférer des mots qui carboniseraient notre projet.

Il me tend la main, je la presse.

Il appartient à la génération des bandits d'honneur, le
vieux voyou. Il aurait pu devenir P.-D.G. ou armateur si
la vie ne s'était pas goupillée mochement pour lui, dans
sa jeunesse. L'adolescence, c'est toujours le mauvais cap
à franchir; il est rare que les adultes se mettent à
brigander. Ils glissent escrocs, parfois, traficoteurs because l'appât du gain, la soif du grisbi ou les ratages
professionnels. Mais truands, c'est comme la danse : faut
démarrer de bonne heure.

Je le raccompagne jusqu'au portail en cours de repein-
tage. Il grimpe dans sa Mercedes d'homme arrivé. A cet
instant, Toinet sort de l'appentis, l'air tout chose. Je
tressaille en repensant à la môme Maria qui y expose ses
trésors andalous.

— D'où viens-tu ? l'apostrophé-je.

Au lieu de répondre à ma question (qui d'ailleurs,
devant l'évidence, est sans objet), il demande :

— Dis voir, grand, treize ans, c'est jeune ou pas pour
tirer son premier coup ?

LAVAGE AUTOMATIQUE

Franck Studder prit son tour derrière les voitures attendant à la station de lavage automatique. Il n'y avait que deux bagnoles devant lui, ce qui représentait une attente de six à dix minutes. Il avait une carte d'abonnement et venait faire nettoyer sa Chevrolet chaque mercredi soir après la fermeture de son officine. Le jeudi, il se rendait à la réunion hebdomadaire des « chefs d'agence » et il tenait à s'y présenter dans les conditions les plus favorables à son standing. Une voiture bien briquée ajoutait à sa classe.

Il se mit à lire *Playboy* en attendant son tour. Le poster central représentait une superbe rousse à poils fauves dont l'œil coquin aurait fait frémir le kangourou d'un nonagénaire. Elle regardait le lecteur, la tête inclinée, un sourire salace au coin des lèvres, et l'on distinguait un bout de langue rose comme un clito derrière ses dents éclatantes.

La voiture qui précédait Studder avança et il prit sa place. Il lut les blagues du mensuel. La plupart étaient vieilles comme l'amour, mais il en dénichait toujours une ou deux dans le lot, qui le faisaient marrer.

Le caisson de la laverie se divisait en deux parties : le lavage et le séchage. Ils étaient séparés par de larges volets de plexiglas qui coulissaient le moment venu. Franck admirait la virtuosité précise de l'appareil, la manière impressionnante dont les nombreux jets se mettaient en action pour projeter l'eau savonneuse sur le véhicule. Ils fouettaient la carrosserie avec impétuosité et celle-ci ne tardait pas à être recouverte d'une mousse blanchâtre. Lorsqu'ils cessaient de fonctionner, les énormes rouleaux blanc et rouge se mettaient de la partie. Ils démarraient par l'avant et paraissaient happer l'auto. Le plus gros, le rouleau transversal, épousait les volumes de celle-ci. S'élevant avec la courbe du capot, noyant le pare-brise et l'engloutissant dans ses longs poils. Studder ressentait toujours, à cet instant, une vague appréhension, comme si le monstre mécanique allait le broyer. Il avait l'impression d'être avalé par un animal préhistorique, l'eau savonneuse constituant une espèce de bile destinée à faciliter la digestion.

Une demi-obscurité corsait encore sa peur. Les rouleaux arrivaient, l'enveloppaient en émettant un grondement creux de bourrasque. Il était dans un petit submersible posé sur un lit d'algues tentaculaires. Il ne remonterait jamais à la surface. Alors il respirait bien à fond pour se prouver que rien n'était changé au fonctionnement de ses poumons. Les rouleaux passaient au-dessus de l'auto, puis à l'arrière, et cela jusqu'à descendre au pare-chocs. Il se produisait alors un break. Tout s'immobilisait et il n'entendait plus que le ruissellement de l'eau dégoulinant de la carrosserie. Puis l'appareil se redéclenchait et les monstrueux rouleaux effectuaient le trajet en sens inverse. Le second passage terminé, ils se figeaient, le rideau de plexiglas s'écartait et le conducteur remettait le moteur en marche pour passer dans le compartiment séchage qui, lui, n'engendrait aucun malaise et, au contraire, amusait Studder par sa manière d'anéantir les grosses gouttes d'eau, les refoulant sur la paroi inclinée du capot, créant un phénomène illogique d'eau coulant en remontant une pente.

Il rêvassait, quand un coup de klaxon de la voiture placée derrière lui le ramena à la réalité : c'était son tour. Il baissa sa vitre gauche, inséra sa carte magnétique dans le bloc de commande, la récupéra, remonta sa vitre et s'engagea dans le tunnel de lavage jusqu'à la butée qui déclenchait l'appareil. Il posa son magazine sur le siège passager pour suivre le déroulement de l'opération. Jet moussant ! Les vitres furent lézardées de rigoles nombreuses qui s'entrecroisèrent, se confondirent, formant bientôt une nappe verticale où la mousse coulait plus lentement que l'eau. Après cette projection préalable, les fameux rouleaux opérèrent avec leur grondement sourd. Studder vit plonger le gros cylindre de poils devant l'auto, pour en fourbir la calandre. Il remonta sans se presser et vint à lui inexorablement, accompagné des deux cylindres latéraux qui tournaient comme des totons. Leur frottement soyeux contre la voiture exerçait une fascination sur Franck.

A nouveau, cette impression de descendre aux abysses dans un sous-marin de poche privé de ses commandes s'imposa. Il savait qu'elle durerait quelques secondes, juste le temps que le gros rouleau achève de balayer capot et pare-brise. Il était environné d'eau. Le cylindre poilu fouetta la vitre inclinée, la noya sous un flot intense, en même temps qu'il la fourbissait consciencieusement. Enfin, avec sa lenteur inexorable, il commença de remonter jusqu'au pavillon. A cet instant du lavage, Studder découvrait le cadre métallique, peint en rouge et jaune qui supportait les rouleaux et les volets de plexiglas dépolis dont la matière virait au jaune sale. Il fut surpris de distinguer une tâche orangée, mouvante, devant sa vitre. Pour réaliser ce dont il s'agissait, il enclencha le contact au point deux et brancha ses balais d'essuie-glaces.

Il découvrit alors un employé de la station, vêtu une combinaison sur laquelle s'inscrivait le nom d'une marque d'essence, et coiffé d'une casquette à longue visière. C'était la première fois que quelqu'un se manifestait dans le tunnel en cours de lavage. Franck l'interrogea d'un hochement de menton car, à cause des jets, il ne pouvait baisser les glaces latérales. L'homme portait des lunettes légèrement teintées, et des favoris bruns sortaient de sous sa casquette. Il éleva lentement ses deux mains, lesquelles étaient jointes sur un pistolet.

« Putain, c'est au moins du .45, pensa Studder à la volée ; et il a un silencieux ! »

Son pare-brise implosa et il fut criblé d'une infinité de minuscules cubes de verre qui lui brûlèrent le visage. Il comprit que l'employé avait tiré sans trop viser, simplement pour se débarrasser du pare-brise brouillé.

« Il faut que je me couche sous le tableau de bord ! » se dit Franck Studder.

Mais il n'eut pas le réflexe suffisamment prompt. L'homme à la combinaison orange tira quatre balles de haut en bas. La première traversa l'œil droit de sa victime, la seconde lui déchiqueta le larynx ; quant aux deux dernières, elles s'engloutirent dans son sternum.

Les rouleaux commençaient à traiter la vitre arrière.

Le tireur glissa son arme dans l'une de ses larges poches et quitta le tunnel par une petite porte de secours située entre les deux compartiments.

CE FUT LE DEUXIÈME MEURTRE.

4

En face du *Big Pine Lodge Motel* se trouve un édifice public blanc, de style colonial. Devant la construction s'étend une pelouse aussi verte et tondue de près qu'un tapis de billard. Planté au milieu de la pelouse, un mât au sommet duquel flotte le drapeau américain.

Quand on se pointe, au volant de notre Cadillac Seville jaune canari, un gros Noir aux cheveux défrisés et gras, vêtu d'un T-shirt délirant, à dominante rouge, ramène les couleurs sans cesser de fumer un cigare si formidable que Zino Davidoff en piquerait une crise de nerfs.

— L'Amérique! dis-je à Maryse en lui montrant la scène.

On pourrait la désigner, elle, et déclarer: « la France! » tant elle est représentative de notre cher vieux pays. Elle porte un tailleur de jean noir légèrement gansé de blanc, un chemisier paille et sa chevelure coiffée en queue-de- cheval lui donne l'air d'une jeune fille récemment sortie d'un pensionnat huppé.

Son père est moins sobre d'aspect, bien qu'il ait fait un effort. Pour lui, c'est le costar léger, d'un gris presque blanc et la limouille noire. Des pompes blanches hébergent ses pinceaux sans chaussettes.

Je me rends à l'office qu'indique un panneau lumineux, éclairé même en plein soleil. Derrière son comptoir de bois vernis, un vieux crabe bossu, affligé de lunettes à monture de fer datant de Washington, fait des comptes en psalmodiant les chiffres. Il achève de vérifier le montant obtenu, et consent à redresser un pif pointu comme la mine de son crayon et rouge comme une engelure. Il ne s'est pas rasé depuis l'élection du Président Busch, mais sa barbe ne poussera pas davantage, n'ayant pour se développer qu'une peau jaunasse et racornie, collée à même l'os de la mâchoire.

— Trois chambres, annoncé-je.

— Groupées ?

— Si possible.

Il décroche à un tableau trois clés munies d'un disque de bronze numéroté et me désigne le registre. J'y consigne nos noms. N'après quoi j'allonge des dollars que le vieux recompte avec respect, car on sent que pour lui, le papier vert, sur l'échelle des valeurs, se situe entre Dieu et les Etats-Unis d'Amérique.

Ayant serré sa fraîche dans un tiroir dont il conserve la clé autour de son cou de dindon déprimé, il me demande si c'est pour une ou plusieurs nuits. Je lui réponds que nous sommes des touristes et que la durée de notre séjour sera fonction de l'agrément que nous trouverons à Gulfport.

— Vous êtes français ?

— Absolument.

— C'est ce qui me semblait, alors je vous signale un restaurant de fruits de mer en bordure de la cote, à un *mile* d'ici. Il s'appelle *La Langouste en folie*, et puis il y a un barbecue tenu par des Mexicains où l'on trouve une viande succulente, grillée sur des épées et servie accompagnée de haricots noirs qui procurent des pets inoubliables.

Je le remercie de me guidemicheliner avec tant d'amabilité. Nous procédons à notre installation. Sur mon conseil, mes compagnons ont pris peu de bagages : chacun une valoche et un petit sac d'avion, afin de pouvoir conserver une bonne liberté de déplacement.

Les bungalows sont bâtis en arc de cercle dans une clairière de pins (d'où la raison sociale du motel). Leur implantation les isole l'un de l'autre, bien que tous fussent mitoyens. Nous plaçons Maryse entre son dabuche et ma pomme. Une demi-plombe pour s'installer, ensuite, aussi sec, on se mettra en chasse.

Il fait un temps sublime. La mer n'est pas bleue comme tu pourrais le penser, mais d'une couleur brune, plutôt dégueu, qui n'incite pas à la baignade. Il souffle un vent mutin et les branches des pins parasols frissonnent au soleil doré de cet après-midi finissant.

Je me sens un poil désenchanté. La môme de Sauveur est exquise ; baiseuse inspirée, elle a de la culture et même de l'esprit ; le truand repenti est sympa, plutôt silencieux, et pourtant leur récent deuil pèse sur notre équipée. Je les sens meurtris, en charge d'une lourde peine. Ce chagrin qui les soude les isole un peu de moi. Je me fais l'effet d'un parent de la famille venu les assister et qui se croit obligé de feindre une compassion qu'il n'éprouve pas.

Sauveur, c'est pas le mec à fignoler son installation. Quand il a jeté sa valdingue au travers du lit et qu'il a recoiffé ses crins gris, il est déjà paré. A travers la petite baie de mon bungalow, je le vois foncer vers le bar du motel, le dos rond. Je me hâte d'accrocher mes deux costars de rechange (infroissables) dans la penderie, sur des cintres de fil de fer, qu'ensuite de quoi je vais rejoindre mon nouvel « ami ». Il se fait une bibine, au bar. L'endroit se compose d'un comptoir, au-delà duquel il y a un gril et un fourbi propre à la restauration. Un Noirpiot est seul à gérer l'établissement. Il fait la bouffe, sert, encaisse, vaisselle. Sa veste blanche ressemble à la palette d'un peintre. Une musique disco viorne à plein chapeau, fêlant les tympans d'une clientèle qui, pour l'instant, se résume à Sauveur et à ma pomme.

Je désigne le verre mousseux de mon compagnon.

— Le même! dis-je.

Le Noir me sort une boutanche de son réfrigérateur et la pose devant moi, en même temps qu'un verre dont les bords proposent une gamme étendue de rouges à lèvres allant du cyclamen à l'indigo. La plonge, pour cézigue, c'est un projet sans cesse remis à plus tard.

Je lui tends le glass.

— Vous n'en auriez pas un autre qui ne soit pas en couleur, fiston?

Il examine le verre et, sans piper, me le remplace par un autre qui, lui, n'est souillé que par une trace de ketchup très en relief.

Je m'avoue vaincu.

— Vous voyez ça comment? demande Sauveur.

Je comprends qu'il fait allusion à notre « enquête ».

— Pour commencer, nous devons trouver l'identité du patron défunt de Miguel, savoir où il habitait, essayer alors d'en apprendre un max sur ses activités. Il doit rester dans le coin des mecs qui ont connu le Gitano. Là, tu vas m'être utile, Sauveur, en me précisant les penchants de ton pote, ça nous aidera à orienter nos recherches; c'était quoi ses hobbies: le jeu, la picole, la baise, la peinture à l'huile?

Un léger sourire égaie un court instant la bouille burinée de Kajapoul.

— Les putes! répond-il sans hésiter.

— *Prima*! m'exclamé-je. Voilà une chouette indication.

— Il ne tirait que des pros, poursuit Sauveur, c'était son vice. Les autres femmes semblaient ne pas l'intéresser. Lui, y avait que les gagneuses. Il leur demandait des trucs pas croyables, comme, par exemple, de s'enquiller le goulot d'une bouteille de rouille dans la moniche et de verser. Il buvait le trop-plein. Sa façon de sabler le champagne. Une peu barjo, côté mœurs, l'artiste ! Il raffolait aussi du moulin à café. Je sais pas si vous avez vu ces moulins d'autrefois, comme y en avait chez nos grand-mères ? Lui, il s'en trimbalait toujours un dans le sac Air France qui lui tenait lieu de baise-en-ville et où il remisait son feu de rechange quand il allait au charbon sur un gros coup. Dans une boîte en fer, il conservait du caoua en grain. Le moment venu, il garnissait le magasin du moulin, puis il plaçait son mandrin qu'il avait long sous le bras de la souris et lui demandait de moudre le café. Des lubies sexuelles, quoi ! Des fantasmes, comme on dit dans la presse ! Y avait également la corde à piano avec au bout l'olive de plomb. Il carrait ladite dans le fion de la pute, tendait la corde et la pinçait. Il appelait ça « sa petite musique de cul ». Un vrai numéro ! Il aurait pu se produire dans les taules sexy de Copenhague.

A cette évocation, Sauveur éclate d'un rire de loup.

— Ce que tu me balances est primordial, mec. Tu penses bien que ton Gitano, s'il a séjourné dans ce patelin, a nécessairement cherché des lieux de « détente » pour donner libre cours à ses fantaisies. A nous de les retrouver et de mettre la main sur les filles qui lui ont accordé satisfaction.

Je hèle le barman :

— Hello, Sony !

Il est assez beau gosse, cézig. La trentaine, un visage morose mais bien dessiné, avec des yeux verts et pas du tout la bouche en gants de boxe.

Il m'interroge du menton.

— Y a longtemps que vous habitez Gulfport ? je lui demande.

— C'est important ? me répond-il d'un ton froid.

— Ça ne met pas en question la sécurité des Etats-Unis mais ça vous permettrait de gagner un peu d'argent, dis-je en confectionnant un petit bateau à l'aide d'un bifton de cinq dollars.

C'est pas un vénal et le billet de cinq pions le laisse froid comme un nez de chien humant la trace d'un ours blanc sur la banquise.

— Deux ans, répond-il.

— C'est suffisant pour avoir une idée du patelin. Vous devez connaître, au moins par ouï-dire, les endroits où l'on s'amuse dans le secteur, non ?

Lui, il nous situe touristes bambochards. Se dit qu'on veut foiridonner un brin, ce soir. Il hoche la tête :

— Moi, vous savez, ce genre d'endroits… Je sais qu'il y a *Les Délices*, à Long Beach, et puis *Le Casino Folie's* sur la route de Biloxi. A part ça, je ne vois rien d'autre.

— C'est déjà beau, fiston.

Je balance mon bateau dans sa direction, d'une pichenette.

Il le regarde, s'en saisit, le déplie, puis déclare :

— Y a pas assez, monsieur. Deux bières, ça fait six dollars ; c'est de la Spaten que votre ami a demandé.

— Ce billet est pour vous !

Il secoue la tête :

— Manque un dollar, monsieur.

Le con ! Je lui virgule un deuxième talbin. Il me snobe, ce gus ! Ah ! dis donc, la case de l'Oncle Tom, c'est loin !

Dans le fond, le vieux de l'office, avec sa tronche de casse-noisette en bois, il serait plus sociable. Bien qu'il soit le patron du motel, il enfouille presto les pourliches tombés du ciel. Faut voir comme il griffe mon verdâtre de dix points, l'ancêtre.

Je lui raconte n'importe quoi (d'ailleurs il s'en torche), comme quoi j'ai connu en Europe un mec d'ici, dont on m'a dit qu'il était décédé assez récemment. Un gars aux as qui habitait une belle demeure style colonial.

Le grand-dabe acquiesce.

— Je vois de qui vous parlez, déclare-t-il. C'est d'Irving Clay.

Je note que son expression a changé : elle est devenue défiante.

— C'était un de vos amis ? s'informe-t-il.

Moi, la barre à droite, toute !

— Pas le moins du monde. Je l'ai connu à Paris. Je tiens un office de location de voitures et il voulait absolument que je lui fournisse un cabriolet Mercedes. Dans mon job, on ne loue pas de cabriolets et ça été la croix et la bannière (étoilée) pour lui en trouver un. Il a été si content qu'il m'a invité à dîner. Il était dans les affaires, m'a-t-il dit.

— Drôles d'affaires, bougonne le vieux.

— Ah ! bon, effaré-je. Vous semblez réticent ?

Il se ferme :

— Moi, je ne me mêle pas de la vie des autres, j'ai assez de mal à finir la mienne convenablement.

Il m'indique tout de même la baraque de cet Irving Clay. Me dit qu'il est clamsé d'un cancer et qu'on l'a incinéré. Le gars en question vivait depuis des années avec une femme à laquelle il a tout légué. Une poupée pas mal roulée, blonde, avec d'immenses yeux couleur myosotis, si vous voyez ce que je veux dire ? Après la crémation, elle a fait ses valises et elle est partie pour New York.

— Ils vivaient seuls ?

— Ils avaient une femme de ménage noire qui venait tous les matin et un valet de chambre-chauffeur à demeure. Ce dernier est parti en même temps que la « veuve ».

Le motelier ricane :

— Peut-être s'est-elle consolée avec lui car il était plutôt beau gosse.

— La maison est occupée?

— Non, vide. Peut-être que la femme la louera ou la vendra, peut-être qu'elle reviendra l'habiter plus tard, qui peut le dire?

— Elle est comment, cette fille?

— Vous ne l'avez pas rencontrée, à Paris? s'étonne le vieux. Ils ne se quittaient cependant jamais, elle et Clay.

— Elle n'était pas au dîner dont je vous ai parlé, toujours est-il.

— Une belle blonde, appétissante. Je l'ai vue à plusieurs reprises en maillot deux pièces, quand elle venait prendre des bains de soleil sur la plage: une merveille! Même à mon âge, je lui aurais volontiers dit deux mots!

Bon, j'ai obtenu de lui l'essentiel. Vachement coopératif dans son genre, le fossile.

On massacre des langoustes grosses comme ma cuisse au restau recommandé par notre hôte. Il fait une belle nuit ample et tiède, avec un ciel de velours bleu clouté d'étoiles, comme l'a écrit je sais plus qui, mais putain, qu'il avait du talent!

— Un peu durettes, hein? note Sauveur. Elles font le caoutchouc.

— Parce qu'elles sont trop mahousses, dis-je.

Je murmure:

— Tu penses, toi, que le Gitano a pu se tirer avec sa patronne après la mort du boss?

— Non. D'abord le Gitano n'aurait jamais été valet de chambre, c'est pas dans ses emplois! Y avait pas plus fiérot que cet Espago! Vous les connaissez, les Ibériques? Ils se prennent tous pour Charles Quinze.

Charitablement, je ne rectifie pas l'erreur, Sauveur n'étant pas le genre d'homme qu'on peut reprendre quand il commet un douze.

— Donc, il n'était plus avec Clay à la mort de ce dernier?

— Peut-être que si, mais le vieux crabe du motel n'en savait rien.

— Irving n'avait pas bonne presse par ici, ajouté-je.

— Dans les bleds, les gens jasent, soupire Kajapoul, qui sait de quoi il parle. Toujours prêts à bêcher, à faire un papier merdeux sur qui ne marche pas au pas !

— Va falloir tenter d'en savoir davantage.

— Sûr !

— Après la jaffe, j'irai faire un petit repérage des lieux. Dans un sens, c'est chouette que la taule soit inhabitée. Rien de plus éloquent qu'une maison vide. Moi, ça me passionne.

— Je vous accompagnerai, assure Sauveur ; je peux vous être utile.

— Je n'en doute pas.

Il abandonne sa langouste.

— Je vais y laisser mes chailles, grogne-t-il. J'ai une prothèse à la suite d'une castagne où vos collègues bastonnaient comme à Guignol.

Maryse demande :

— Vous comptez vous introduire par effraction dans la maison en question ?

— C'est pas impossible ! admets-je en riant.

Elle soupire :

— En somme, vous avez les mêmes méthodes, tous les deux.

— Exactement, mais la finalité de notre propos diffère.

— Eh bien, vous irez sans moi, je suis fatiguée par ce voyage.

— Nous n'avions pas l'intention de vous emmener, je balance, pincé.

Après les coriaces langoustes, on écluse des cafés. Sauveur exige de douiller la note et on s'emporte. Maryse descend de la Seville, devant la clairière du *Big pine Lodge*. L'enseigne éclabousse de nuit. La musique de la cafétéria part en dérapage sur la mer sombre. Le filin d'acier servant à hisser et à ramener les couleurs tinte sur la hampe de métal devant l'édifice, à cause du vent de nuit au souffle chaud.

La môme soupire :

— Bonne nuit, les hommes !

Et pénètre dans son bungalow.

— Elle est sonnée, me dit son père.

— Je vois ça.

— Vous devriez vous... vous occuper d'elle, conseille beau-papa.

Ah ! les darons, tous les mêmes, qu'ils soient notaires ou truands ! Le souci de leur grande fifille. Tout juste s'il va pas tenir la chandelle, s'assurer que je la grimpe convenablement, sans rien lui endolorir, ni le frifri ni l'âme !

Je me mets à la recherche de la demeure de feu Irving Clay en me conformant aux indications du vieux et je la dégauchis, en retrait, dans un bout d'avenue plantée de pins.

Classique. Des colonnes blanches, un péristyle, un fronton grec, un perron. Autour, la pelouse, avec quelques massifs de plantes ornementales, plus une écurie basse cernée d'un corral composé d'une barrière de manège en bois peint en blanc.

On va porter la Cadillac dans une impasse fleurie de lauriers-roses, puis on se rabat sur la crèche du cher défunt. La lune éclaire la pelouse et je redoute que nous soyons aperçus depuis les demeures avoisinantes. Aussi, préconisé-je à Sauveur que nous avancions sans chiquer « Les commandos attaquent à l'aube» , tout tranquillement par l'allée principale.

En gravissant la volée de marches, il murmure :

— Pour craquer la lourde, vous me laissez opérer ?

— Inutile, j'ai ma méthode.

— Moi aussi, ironise l'ancien malfrat.

— Je n'en doute pas. Un jour, nous ferons un concours, Sauveur, une lourde bien imposante qu'il faudra débonder dans le minimun de temps, départ arrêté.

Je biche mon sésame et examine la porte. Elle est pourvue de deux serrures du genre viceloque.

— Tu mettrais combien de minutes pour tutoyer celle-ci ? murmuré-je.

Il se penche, évalue.

— Une dizaine ! fait-il.

— Regarde !

J'insère mon petit outil magique. M'attaquant à la plus coriace. Ça fourgonne un peu. La serrure renâcle, on dirait que ça la chatouille. Le pêne est rétif. Il aime pas mes manières. Bon, faut que je prenne l'autre bout de l'objet. Je me concentre. Dans ces cas-là, l'oreille est à l'unisson des doigts. Cric-crac ! Et d'une ! L'autre oppose, ainsi que prévu, une résistance moindre.

— Elle a dit oui, fais-je. Combien de temps ai-je mis ?

— Deux minutes et demie, répond Sauveur.

J'essaie de rester simple.

Il demande :

— Et maintenant, vous allez faire quoi ?

— Pousser et te laisser entrer le premier parce que tu es plus âgé que moi et que j'ai des usages.

Il pose sa grosse paluche malmenée par des béchamels sans nombre sur la mienne.

— Et vous l'aurez dans le cul ! annonce Kajapoul.

— Tu crois ?

— *Yes, Sir*, parce que cette taule est truffée de signaux d'alarme que vous n'avez pas vus ! Un miracle qu'ils n'aient pas encore crié au secours !

Il me désigne autour du chambranle différents petits points noirs, à peine plus gros que des pois chiche.

— Système Kersauson, annonce-t-il. Féroce ! Je suis tombé dessus, une fois, en Suisse, en bricolant une bijouterie de Genève. Ça a fait un tel foin que j'en ai encore des frissons dans les manettes.

Là, il marque un point gros comme celui qui figure au milieu du drapeau japonouille, mon compagnon.

— Et on fait quoi dans ces cas précis, monsieur l'ingénieur ?

— Attends-moi, je reviens.

Voilà qu'il me tutoie dans la foulée. Nous sommes, il faut dire, unis étrangement par cette visite illicite.

Il retourne à la voiture, revient peu après, portant un objet cylindrique et lourd de couleur rouge, que je n'identifie que lorsqu'il m'a rejoint : un exctincteur d'incendie. Il dégoupille le bec de l'engin et se met à asperger les points noirs copieusement. Une mousse impétueuse dégouline le long du chambranle. Il attend un instant et actionne à nouveau l'extincteur.

— C'est efficace ? je murmure.

— En principe, oui. J'avais retapissé l'extincteur dans la malle en chargeant nos bagages ; heureusement.

— Ça fait quoi, ton truc ?

— Je ne suis pas chimiste, je peux pas te dire. Mon idée est que cette mousse contient un acide quelconque qui neutralise les contacteurs. Je m'en suis servi pour un casse avenue Niel. C'est un forban des Baumettes qui m'avait donné la recette.

— On peut y aller, maintenant ?

— Sois pas impatient, petit ; c'est comme le préshave : faut que ça imprègne bien avant que le rasoir attaque.

Il est d'un calme qui en dit long sur ses forfaits passés.

— Ce qui me dépasse, murmuré-je, c'est qu'un zig intelligent et courageux mette ses facultés rares au service de l'arnaque ; t'avais les capacités pour devenir un crack dans la vie normale, au lieu de te faire tirer dessus et de te respirer des années de gnouf !

Il n'apprécie pas fort. Renfrogne. Il dit, d'un ton maugréateur :

— Je sais, ça taquine tous les bons pékins ; ils pigent

pas qu'on soit tenté par le frisson, l'amoralité, la marge...

Le voilà qui mate le cadran lumineux de sa tocante.

— Encore un peu de sirop, fait-il en exécutant une nouvelle projection de mousse, et ça va être bonnard.

Y a un oiseau de nuit qui se met à nous faire la converse du haut d'un gigantesque pin voisin. Des souffles tièdasses nous arrivent de la mer. Sauveur lève la tête pour considérer le fronton de la maison. Tu dirais le Parthénon en plus petit, en pas délabré.

— Je me demande ce qu'il branlait dans cette crèche, le Gitano, réfléchit-il. La vie de château, ça devait lui peler la prostate, à force. C'est un mec qui a une monstre bougeotte, la danse de Saint-Gui, le Parkinson. Une journée d'oisiveté et il lui pousse des champignons de partout ! Je me rappelle une période où ça craignait dur pour nous. On était allés se mettre au vert dans une auberge de campagne. Tu crois qu'il faisait la planche, Miguel ? Que tchi ! Il allait piquer les troncs de l'église du patelin pour s'entretenir le moral !

C'est drôle comme nos rapports sont en train de se modifier, Sauveur et moi. Jusque-là, je restais un perdreau à ses yeux. Un flic sympa, certes, mais avec lequel il gardait ses distances. Et puis, à cause de notre effraction mutine, la barrière est tombée et je suis devenu un pote avec lequel il ne se gêne plus. Son parler se laisse dériver, ses confidences remontent le courant. Il est bien aise, en grande confiance.

Il ouvre brusquement la porte en déclarant :

— La minute de vérité !

Rien ne se produit.

— Monsieur le commissaire est servi ! rigole-t-il en s'effaçant pour me laisser pénétrer.

Ce qui impressionne, c'est de trouver deux tréteaux et une draperie noire dans le hall. Probable qu'on y avait installé le cercueil de feu Irving Clay. Curieux que la *funeral house* du pays ne soit pas venue reprendre son matériel après usage. Il flotte dans l'air confiné une odeur douceâtre et fade : celle de la mort. Le hall est circulaire, un escalier à double révolution l'enserre et une rotonde vitrée l'éclaire. A travers les vitres on aperçoit la Voie lactée. Au fond un immense living, meublé moderne, avec des tapis et des rideaux blancs, me fait un peu songer à l'apparte de Sauveur à Paris. Curieux ce goût marqué des brigands pour le blanc, à croire qu'ils cherchent à oublier la noire laideur des geôles où ils ont séjourné.

Une salle à manger, une bibliothèque, s'il vous plaît ! l'office, et enfin des resserres garnies de denrées de toutes sortes : conserves, bidons, caisses de produits ménagers, une véritable réserve d'épicier en gros !

A l'étage, une demi-douzaine de chambres avec chacune son dressing et sa salle de bains. L'une, visiblement celle « des maîtres », est beaucoup plus spacieuse que les autres, d'un luxe tapageur : peaux d'ours blancs, lit à baldaquin sur un praticable tendu de velours bleu, tableaux libertins, meubles en faux ivoire au style baroque, il en remettait, l'Irving ! Se prenait pour un petit monarque de mes deux.

Dans un renfoncement, se trouve un bureau acier et verre fumé, muni d'un téléphone avec enregistreur de messages, d'un magnéto dernier cri, d'un télex et d'un petit ordinateur Apple ; c'est le coin boulot de l'homme moderne.

— Tu devrais essayer de retapisser la chambre de ton pote Miguel, conseillé-je à Sauveur. Il reste sûrement des traces de sa présence. Moi je vais étudier le matériel sophistiqué du boss pour si des fois il pouvait nous orienter sur ses activités.

Kajapoul acquiesce et se trisse. Moi, peinardo, je prends place dans le fauteuil pour tripoter les appareils rassemblés sur l'épais plateau de verre.

C'est intéressant, notre job, quand on le pratique consciencieusement, sans hâte, avec une minutie de documentaliste.

J'ai cramponné une feuille de faf sur la rame vierge en attente près de l'ordinateur, dégagé un stylo-feutre d'un godet de cuivre que ça représente plus ou moins un poisson debout sur sa queue. J'étudie chacun des appareils et je prends des notes, au fur et à mesure. Je suis à ce point captivé par mon boulot que je ne me rends pas compte du retour de Sauveur, aussi ai-je un sursaut lorsqu'un ronflement retentit dans la chambre. Je trouve le vieux voyou allongé sur le plumard, tel un gisant, les mains croisées par-dessus son pénis, la bouche entrouverte.

Je me lève et ce léger bruit le soustrait à Morphée. Il a un geste vain pour saisir dans son veston la crosse d'un feu qui ne s'y trouve pas.

— Merde, j'étais parti à dame, fait-il.

— Tu as découvert la piaule du Gitano ?

— Pas dif, y avait des bouteilles de Marquese de Riscal plein son placard ! Son jaja d'élection ! Dans les moments de spleen, il se shootait au vin rouge espago. De plus, j'ai dégauchi l'adresse de son frelot dans un tiroir, plus des costars qui ne peuvent pas appartenir à quelqu'un d'autre car il se loque d'une manière un peu glauque, le frère ! Les rayures, c'est son vice. Plus elles sont larges et voyantes, plus il gode dur.

— Curieux qu'il n'ait pas emporté sa garde-robe en partant, non ?

— S'il ne l'a pas fait, c'est qu'il compte revenir.

— Oui, t'as raison. Autre chose ?

— Un jeu de patience ; il s'en était fait apporter un en prison et il y passait des heures. Mais j'ai déniché un truc intéressant, petit.

— Quoi donc.

— Pas dans la carrée de Miguel, ailleurs, une planque sous l'escadrin. Vachement astucieuse, faut vraiment mon esprit tordu et mon œil de lynx pour la repérer.

— Tu me montres?

Il saute du lit avec une souplesse qu'on ne lui soupçonne pas.

L'escalier (à double révolution pour les fêtes du bicentenaire) est en faux marbre bien imité. Les trois premières marches à partir du palier, reposent dans une épaisseur de plafond en toc, destinée à camoufler les tuyauteries et autres conduits d'aération. La rampe de plexiglas ne tient à la volée de marches qu'en trois points: en haut, en bas, au centre. Sauveur me fait descendre une demi-douzaine de degrés, puis se tourne face au palier. Il passe sa main sous la troisième marche, laquelle comporte une large et invisible encoche, et tire. Les trois marches pivotent du côté du vide, révélant la large cavité où, effectiment, passent des tuyaux, mais qui sert aussi de receptacle à un véritable arsenal. Je dénombre une mitraillette légère, un pistolet-mitrailleur, deux revolvers de gros calibre, un talkie-walkie à longue portée, un chalumeau oxhydrique, des trousses à outils visiblement destinés au craquage des coffres-forts, des boîtes de munitions, des grenades soporifiques, des couteaux à manche équilibré (pour le lancement), plus une chose large que je prends de prime abord pour un gilet pare-balles.

C'est ce dernier élément qui mobilise l'attention de Sauveur. Il l'étale sur les marches et se recule pour mieux me le laisser contempler.

— Ça, me dit-il, c'est pas ordinaire.

Effectivement, la chose reproduit un thorax masculin si parfaitement imité qu'on le croirait découpé sur un corps authentique. On y trouve les mamelons des seins, la saillie des côtes, des grains de beauté, des poils frisés, des veines, des taches rousses et même des traces de menues cicatrices. Je trouve ce truc parfaitement écœurant.

— A quoi crois-tu que ça puisse servir ? questionne Sauveur.

— Si tu pouvais me le dire…

Je palpe cette fausse poitrine. Le matériau qui la compose est souple. En aucun cas il ne saurait protéger de l'impact d'une balle. C'est un postiche qui emboîte la poitrine depuis le cou jusqu'au bas-ventre et qui se fixe avec des sangles de toile.

— Peut-être que le type qui porte ça veut masquer des traces de brûlure ? Peut-être a-t-il un chancre ou un tatouage à dissimuler ?

L'ancien truand hausse les épaules.

— Possible, admet-il. Mais pourquoi planquer ce machin ? Je sens qu'il servait pour une combine tordue.

Il remet le fourbi en place et referme l'escalier-boîte-à-malice.

— Et toi, tu as trouvé quelque chose d'intéressant ?

— Ça se pourrait.

Je sors mon pense-bête.

— Après avoir écouté de fond en comble le répondeur téléphonique, j'ai déniché une fin de message qui n'avait pas été effacée ; ensuite, j'ai potassé l'ordinateur, bien que je ne sois pas particulièrement brillant dans ce domaine. De l'ensemble des recherches, mon colonel, il appert (de couilles) que le patron de ton pote était sérieusement menacé par des gens qui ne l'avaient pas à la chouette, d'une part, et que, d'autre part, il a, avant de mourir, pris une foultitude de dispositions concernant ses placements bancaires, les legs à sa compagne, les procurations qu'il lui a accordées.

« Je trouve bizarre qu'un homme menacé meure de sa bonne mort », réfléchis-je.

— Coïncidence ?

— Va-t'en savoir.

— Qu'est-ce qui indique qu'il était menacé?

— Ceci! J'ai noté la phrase restant sur l'enregistreur : « T'as rien à espérer car se serait trop grave pour eux. Et vous êtes cinq dans ce cas, Irving. Taille-toi! Mais je me demande si le monde sera assez grand pour... » Voilà! Ça en dit long! Ça dit tout!

— Alors, murmure Sauveur, cancer bidon? Incinération bidon?

— Le miracle américain, dis-je. Faut voir!

5

Tu parles d'un circus, ces *Délices* de Long Beach ! Ça tient du casino, de la boîte de nuit, du beuglant de western.

Imagine une gigantesque enseigne lumineuse rouge, visible plusieurs *miles* à la ronde. La construction est tout en faux bois et adopte l'architecture d'*Il était une fois dans l'Ouest*. Un immense parking de supermarché entoure la boîte. Un monstrueux vacarme assaille les tympans de l'arrivant. Une arche en ampoules clignotantes, de toutes les couleurs, désigne l'entrée. De part et d'autre de celle-ci, deux cow-boys en stuc de douze mètres de haut montent la garde.

Quand nous pénétrons dans cette immense construction, Sauveur et moi, on se regarde misérablement pour se dire que, chercher ici la trace du Gitano est aussi vain que (non, je te ferai pas le coup de l'épingle dans la meule de foin) d'espérer découvrir un éclat de probité dans l'œil d'un marchand de voitures d'occasion.

Ce barnum est divisé en zones séparées les unes des autres par des différences de niveau ou des barrières en matière plastique.

Il y a le coin jeux, le coin music-hall où des gonzesses trémoussent du fion pour interpréter un french-cancan qui aurait fait gerber Toulouse-Lautrec (score final 0-0), le coin piste de danse, le coin bar ombreux.

Une fois qu'on s'est un peu repérés, c'est de ce côté-là qu'on se dirige, sur l'avis de Kajapoul. Il me dit, le papa de Maryse, que les pétasses, c'est surtout dans l'ombre qu'on les trouve. Alors on se pointe dans un coinceteau isolé du reste de la fête par des parois noires, tendues de velours bleu nuit. Il est éclairé par des projos tellement discrets qu'on s'aperçoit à peine de leur présence. C'est le « Salon Oriental ». Les sièges sont des coussins énormes, les tables font du rase-moquette, y a des voiles vaporeux qui tombent de çà et là, des plantes exotiques en matière plastique, tellement bien imitées qu'elles bourgeonnent et donnent des fleurs.

Par je ne sais quel système d'acoustique, le vacarme de la taule est réduit à l'état de fond sonore lointain ; seule est présente une musiquette américano-orientale à base de flûte acide et de violon à une ou deux cordes.

Dans cette pénombre sirupeuse, des gens se pelotent sans vergogne, s'embrassent large comme des bouches d'égout, ne s'interrompant que pour écluser du bourbon ou du champagne californien.

On finit par débusquer une table libre et on se dépose sur les coussins servant de chaises. Pas commode pour un Occidental de s'installer dans un tel décor. Tu ne sais pas quoi foutre de tes cannes et au bout de dix minutes tu biches mal aux reins.

A peine sommes-nous en position de pachas arthritiques qu'une serveuse se radine que tu croirais la couvrante de *Playboy*. Elle a un pantalon persan (percé là où il le faut pour faire goder le clille), les seins à peine voilés par une écharpe arachnéenne, des anneaux aux oreilles, prélevés sur un portique de gymnase, la bouche agrandie au Ripolin, des faux cils en pattes de mygale et des bracelets tintinnabuleurs aux bras et aux jambes.

Elle s'inquiète de ce nous souhaitons boire. Je lui

réclame un Bloody Mary, et Kajapoul est partant pour
un whisky. Nos yeux s'habituant à la pénombre, on
découvre lentement la faune environnante.

Exceptés quelques couples fraîchement constitués, la
clientèle se compose d'hommes mûrs en goguette venus
là pour tripoter une entraîneuse et, au besoin, la grimper ; des propriétaires texans, des mecs du pétrole, des
industriels, des commerçants. Ils rient haut, respirent
bruyamment, poussent des clameurs pour stade de base-
ball et s'interpellent d'une table à l'autre en échangeant
des plaisanteries tellement lourdes que même si tu les
équipais de deux réacteurs elles n'arriveraient pas à
décoller.

Lorsque nous sommes en possession de nos consos, on
biberonne en espérant que les friponnes de l'endroit ne
vont pas tarder à rabattre.

— Tu crois que c'est le genre de crémerie que fré-
quenterait ton pote ? demandé-je à Sauveur.

— Plein cadre ! répond-il. Il raffole des clairs-obscurs,
le Miguel. Tu peux être sûr qu'il est venu se rouler avec
des pouffes sur ces tas de coussins. Je donnerais ma tête
à couper qu'il s'en ai embourbé sur place, à la langou-
reuse. C'est un téméraire du coup de rapière. Une
occase de calcer une frangine en public, il pouvait pas la
rater !

Comme il achève, voilà deux beautés qui se pointent.
Des blondes très pâles, avec deux paires de loloches
extravagants et pas l'air d'avoir inventé la pénicilline.
Elles demandent si « ces deux beaux garçons » vont les
inviter à prendre un verre.

Les deux beaux garçons y consentent et elle s'asseyent
entre nous, chacune jetant d'entrée de jeu son dévolu
sur notre personne. Que nous n'ayons pas eu la liberté
du choix est sans importance car elles se ressemblent
comme des siamoises unies par la connerie. Y a Linda,
« la mienne », et Betty, celle de Sauveur. Bien sûr,

elles commandent du champ', ce qui est de bonne
guerre. On a droit aux sottes questions d'usage concernant notre nationalité, l'objet de notre séjour à Gulfport, notre profession et combien nous gagnons...

Désarmantes de naïveté, ces demoiselles. On leur
balance n'importe quelle vanne, elles l'absorbent. La
pute, surtout aux Amériques, ce qui fait son principal
charme, c'est qu'elle te fait causer sans s'occuper des
réponses. Au bout d'un peu, je me dis qu'il est temps de
rendre notre investissement en boissons fermentées productif. Alors j'explique à Linda et Betty qu'on est venus
rejoindre un parent, mais y a maldonne parce que
personne ne répond plus à la demeure où il créchait.

Doucettement, je les branche sur le Gitano. Sauveur
prend le relais pour décrire son pote. Il a même une
photo de Miguel datant d'y a déjà lurette et qui le
représente lors d'une virouze à la foire du Trône, en
danseuse de french cancan : il suffit d'enquiller sa
tronche dans un trou et de laisser opérer le gazier au
polaroïd. Les pétasses ricaines se boyautent. En même
temps elles pouffent qu'oui-oui, c'est bien le *french boy*
qui venait se divertir. On n'a plus qu'à laisser le champ
libre à leur mémorance. Il claquait un osier noir, le
Gitano. Pas chipoteur du morlingue ! Les billets verts lui
fondaient entre les doigts.

Comme l'a prévu Sauveur, il faisait de sacrées parties
dans la boîte. Elles avaient beau lui seriner que c'était
pas permis par la direction et qu'aux *Délices* y avait un
seuil de « convenances » à ne pas franchir, il se débrouillait pour s'exploser, le coquin. Son grand numéro : la
tarte aux poils. Ça doit être une affaire de famille, le
bouffage de cul, chez les La Roca. Que ça soit Manolo
ou Miguel, faut qu'ils dégustent du frifri, messieurs les
frangins. Pourtant, c'est pas une spécialité espanche, la
minouche. Je sais des Espingos, quand tu leur parles de
cette aimable pratique, ils crachent par terre en profé-

rant des *macho cabrio* méprisants… Mais les frères La
Roca, eux, en ont découvert l'agrément! Ils s'étaient
totalement francisés de ce côté-là.

Une parole en provoquant une autre, on finit par
apprendre que s'il tâtait un peu à toutes ces dames, il
avait sa favorite dans le lot, le *french boy*: Maureen, une
sang-mêlé. Les deux, ça dégénérait vaguement en idylle.
Ils sortaient ensemble le jour de congé de la gosse.
Miguel emmenait jaffer sa *coloured* dans les meilleurs
restaus de la région pour l'initier. Il y était connu et
demandait aux chefs de lui préparer certaines recettes
qu'il leur communiquait. Priorité à la gueule! Son côté
éducation française, au Gitano.

Je demande à Linda de me présenter la Maureen en
question, elle me répond que, justement, c'est son jour
de relâche. Alors je lui demande où elle crèche, mais elle
répond fermement qu'elle n'a pas le droit de communiquer l'adresse du personnel, formellement prohibé par
cette fameuse direction qui m'a l'air vigilante et coriace.
Moi je trouve qu'elle récrie trop fort pour que ça soit
sincère.

— Emporte un moment ta connasse, il faut que j'in-
terviewe la mienne entre quat'z'yeux, dis-je à Sauveur.

Lui, il demande pas mieux. M'est avis qu'il a les
amygdales enflées et qu'il est partant pour un petit coup
de dégorgeoir mutin, le nouveau veuf. Note que c'est pas
le décès de sa mémère qui l'aura plongé dans l'abs-
tinence, car elle paraissait scrafée au plan du radada, la
maman. Comment qu'il s'arrange avec ses glandes, l'enfant de Turc, ça c'est son problo. M'est avis qu'il doit
avoir quelques potesses bienveillantes à Pantruche qu'il
va faire vibrer les soirs de spleen. Il entreprend sérieusement sa nouvelle copine et, bon, ils se cassent.

Comprenant qu'il ne faut pas lésiner avec la conscience professionnelle des gens, j'extrais de ma vague un
billet de cent points.

— En échange de l'adresse de Maureen, murmuré-je. C'est du fric vite gagné, non ?

— Qu'est-ce que vous lui voulez ?

— Simplement qu'elle me parle du *french boy ;* c'est notre parent et on est inquiets à son sujet.

Linda ne peut retenir une drôle de réflexion :

— Vous pouvez !

Je fais un arrêt de volée.

— Ah ! oui ? Pourquoi ?

Elle mord ses jolies lèvres grosses comme des rebords de matelas pneumatique, mais il est trop tard.

— Parce qu'il travaillait chez un type qui n'avait pas bonne presse.

— Irving Clay ?

— Tout juste.

— Qu'est-ce qu'on lui reprochait ?

— D'appartenir au Cartel Noir.

— Le Cartel... du meurtre ?

— Enfin, c'étaient des bruits, hein ! Et de toute façon, Clay est mort et enterré !

— Non, rectifié-je, songeur : pas enterré, incinéré !

— Ça revient au même.

Sauf qu'on ne peut pas exhumer un mec parti en fumée ! Mais je garde ma réflexion pour moi.

— Alors, vous me la filez, l'adresse de votre petite copine, Linda ? Vous savez bien que je vais l'obtenir d'une façon ou d'une autre, c'est juste pour me faire gagner du temps !

Ça la rassure.

— Elle a un studio au 14 de Pascagoula Street, à l'entrée de Biloxi. Son nom de famille c'est Granson.

— O.K.

Je lui fourre le talbin dans la paume (pour le serrement du jeu de main).

— C'est gentil, remercie-t-elle. Et à part ça, je peux rien pour vous ?

— Sans façon : j'ai apporté mon manger aux States.

— Dommage, j'adore faire l'amour avec les Français, à cause de la spécialité du *french boy*, vous savez?

— C'est vrai?

— Vous êtes les champions. Vous bouffez aussi bien que des femmes et quelques fois mieux.

Merci du compliment.

— C'était confortable? demandé-je à Sauveur quand on se retrouve dans la Cadillac Seville.

Il fait la moue.

— Un veau! Si nos gagneuses étaient aussi locdues, Paris ne serait plus Paris depuis longtemps! J'avais l'impression de tirer dans un dispensaire, sous contrôle médical!

— Elles se gaffent du s.i.d.a., faut les comprendre.

— Ça ne change rien, fiston. C'est de la peau de connasse. Ici, le mec qui est pris de court a intérêt à bavouiller avec les chèvres, comme en Turquie, à l'époque de mon dabe. Les bergers, ils avaient leur favorite qui crânait dans le troupeau. En plus, elle leur donnait du lait!

Je rigole. Un phénomène, Kajapoul!

On roule en souplesse. Ces caisses ricaines ressemblent autant à de vraies autos que ma prose à celle de Paul Claudel, mais elles sont berceuses, faut avouer. A leur bord, on flotte dans le moelleux, la Chantilly.

Ici, les routes sont larges et plates ; elles traversent des agglomérations bizarres, composées de motels rivalisant d'originalité, de stations d'essence illuminées, de parcs où l'on vend des tires d'occasion, de grands magasins gigantesques commes des villes. La pub matraque dur. Une enseigne masque la suivante. Le néon est infernal et dit merde à la nuit. Y a pas de nuit! On distingue des derricks embrasés dressant leurs carcasses de métal sur fond d'enfer. Un autre monde!

Sauveur ronchonne :

— Je vois pas ce que ce con de Gitano trouve de bien à ce pays. Tu m'attriquerais une montagne de talbins, je préférerais vivre en Q. H. S. chez nous, que de m'établir ici !

Y a pas de véritable cambrousse le long de la route. C'est comme si on traversait une banlieue infinie.

Je roule mollo because la *speed limit* ; inutile de se faire crever par un poulman. Ils ont des motos mons-trueuses, pleines de chromes et de lumières clignotantes, des uniformes de guerriers de l'apocalypse, version « Guerre des étoiles » et des bouilles qui feraient fermer sa gueule à l'horloge parlante.

On atteint bientôt Biloxi. Linda m'a prévenu que sa collègue, la favorite de Miguel, créchait à l'entrée de la ville. Pascagoula Street, c'est comme qui dirait la natio-nale qui continue dans la cité. Toujours ces stations, motels, supermarkas.

Au bout d'un peu, je m'aperçois que j'ai dépassé le numéro 14, lequel est indiqué de façon confidentielle. Pour rebrousser chemin, c'est coton, avec cette voie en sens unique. Je décide de remiser la chignole et de gagner à pincebroque le domicile de Maureen Granson. Sauveur est d'accord.

On trouve une place pour notre charrette et on se rabat dans l'avenue, bruyante encore malgré l'heure tardive. Y a des groupes de Noirs assis sur les trottoirs, à tirer sur un même joint en échangeant des propos. Une salle de machines électriques constitue le centre d'intérêt du secteur. Un vacarme inhumain s'en échappe. On vit l'époque du bruit. Faut que tout soit paroxystique pour les tympans d'aujourd'hui. Les jeunes, si leurs oreilles ne saignent pas quand ils branchent une cassette, ils ne savent plus s'ils existent. La brise du soir sur le jardin, c'était une autre fois, à l'âge de la pierre ou de la pipe taillée !

Le 14 marque un petit immeuble de briques noircies, à l'arrière-plan d'une station Mobil. Quatre étages, une échelle d'incendie, les étranges excroissances des prises d'air pour les climatiseurs, une loupiote ronde et laiteuse au-dessus de la porte d'entrée qui se dresse sur un perron de cinq marches. Des interphones dont chacun comporte le nom d'un locataire figurent dans le tambour de l'entrée. Le dernier indique M. Granson, ce dont je déduis que l'entraîneuse occupe le dernier étage.

Je presse le timbre correspondant. Mais l'appareillage est vetuste, rouillé par l'humidité marine et, personne ne répondant, je doute qu'il fonctionne encore. Plusieurs récidives restent infructueuses.

— Conclusion, patron? me demande Sauveur.

— Selon toi?

— Elle a dû se payer une java avec des potes, on pourrait l'attendre?

Je chique l'hypocrite :

— Ici?

Sauveur hausse une épaule, à la voyou :

— Malin!

Bon, j'ai déjà mon outil en main, mais, franchement, l'utiliser pour délourder cette porte, c'est donner de la confiture de feuilles de roses à un cochon! Une épingle à cheveux ou une fourchette à escarguinches suffiraient.

On gravit les quatres étages d'une allure harassée vu qu'on commence à en avoir plein les bottillons : le voyage, nos déambulations, tout ça. Plus, pour Sauveur qui a du carat, le coup tiré en voltige aux *Délices,* ça finit par contraindre l'homme. Le réfréner. On croise dans l'escadrin un couple de *coloureds* camés jusqu'aux paupières. M'est avis que cet immeuble est réservé aux Noirpiots et je donnerais ta bite à couper (tu t'en sers si peu qu'en cas de foirade la perte serait pas prépondérante) que ce sont des donzelles de petite vertu qui en sont les locataires.

On trouve sans mal l'apparte de Miss Maureen car sa carte de visite y est agrafée. Un monument, cette carte ; faut venir aux States pour trouver un truc pareillement kitch. D'abord, la matière : elle est en paille de riz amer, dans l'angle gauche, il y a un cœur avec sa photo dedans et des fleurs autour. Son blaze est rédigé tout en minuscules cœurs rouges fluorescents. Tu juges ? *The* chef-d'œuvre, tout simplement. J'ai bien envie de la lui engourdir pour enrichir ma collection de conneries.

Je frappe à la porte car je n'aperçois pas la moindre sonnette. *Nobody* ! A quoi bon se tergir le verset ? Une manipulation expresse et nous pénétrons dans le studio de la gosse. Imagine une petite piaule qui pue le parfum à bas prix. La fenêtre à guillotine laisse entrer le flamboiement de la rue, si bien qu'on pourrait y lire le baveux sans actionner le commutateur. Un vieux cosy-corner en acajou, des années 30, avec des coussins de satin, une penderie fermant par un rideau, un réchaud jouxtant un évier, les deux masqués par un paravent, une table ronde et trois chaises dépareillées, quelques caisses qu'on a garnies de papier adhésif à fleurs (genre cretonne crétine) et affublées de rayons, servent de placards. Au mur, un châle mexicain ; au sol, un tapis gagné je suppose dans quelque loterie foraine, troué par des mégots. Sur la table, il y a un plat cuisiné, acheté au supermarché, composé de viande et de haricots noirs. La môme Maureen le consommait sans utiliser d'assiette, mangeant à même l'emballage avec une cuiller qui se trouve encore sur la table.

On l'a ligotée sur l'une des trois chaises, les mains dans le dos, les jambes repliées sous le siège. La même corde a servi pour attacher ses chevilles et ses poignets. Elle a la tête renversée en arrière et une étoffe garnie de dentelle sort de sa bouche béante. Détail grotesque : pour mieux la faire périr d'étouffement, on a fixé une pince à linge à son nez. Elle est prodigieusement morte.

Ses yeux exorbités jaillissent de son visage comme si l'on avait entrepris de les énucléer et qu'on y eût renoncé en cours de manœuvre.

Je pose ma main sur son front. Il est encore tiède, ce qui indique que le meurtre est récent. Je tire sur l'étoffe obstruant sa bouche, je ramène un slip de pute, noir, fendu, brodé de dentelle rose. Et quand j'ai extrait la culotte, je m'aperçois qu'il reste encore des choses dans sa gorge. Dominant ma répugnance, je vais à la pêche et ramène une poignée de Tampax super plus neufs. Et je me dis, avec effarement, qu'il est à peine croyable qu'une bouche de femme puisse contenir tout ce fourbi. Ça forme un tas gros comme ça sur la table.

Un qui comporte impec, c'est Mister Sauveur. Les vrais hommes, c'est dans ce genre de circonstances que tu les juges. Il a les deux mains aux poches, le regard froid, détaché, les lèvres arrondies pour un léger sifflotement dubitatif.

Lorsque j'ai fini d'extraire les corps étrangers obstruant la gorge de la pauvre môme, il dit:

— En tout cas, c'est pas pour la faire parler qu'on lui a bricolé cette fiesta!

Humour du Mitan.

Il ajoute:

— Gâteries d'un client sadique, je suppose?

— Tu crois qu'une pute reçoit ses clilles en bouffant du *chilli con frijoles*, toi?

Je désigne le plat que la môme était en train de claper.

— Le mec en question a pu s'annoncer à l'improviste, rectifie Kajapoul.

— D'ac, il a pu, mais je ne sens pas les choses de cette manière.

— C'est quoi, ta version?

— J'ai pas de version.

On reste là, de part et d'autre de la table, à se repaître de l'affligeant spectacle. Elle était jolie, cette gosse.

Roulée main! Sa fin n'a pas dû être une partie de
campagne! Quelle mort atroce! Ce qui ajoute à l'horreur, c'est cette pince à linge dressée sur son pif.

— On est dans un beau merdier, soupire Sauveur. La
radasse des *Délices* va se faire un devoir d'expliquer aux
draupers que deux *frenchmen* cherchaient l'adresse de
cette fille; en outre, on a rencontré un couple dans
l'escalier. C'est quoi, dans le Mississippi, la chaise, la
chambre à gaz ou peut-être la piquouse? Un Etat où
dominent les Blacks, ça m'étonnerait que la peine de
mort soit abolie.

A mesure qu'il jacte, je sens mes poils de cul se
dresser sur ma tronche. Car il n'exagère pas, Sauveur.
La manière dont nous sommes barrés peut très bien nous
coûter la vie. Ma qualité de poulet ne pèsera pas lourd
en regard du pedigree de mon pote. On pensera que je
suis un ripou allié à la pègre française. La belle historiette du malfrat dont son frère est sans nouvelles, y
aurait pas un moufflet ricain de plus de cinq ans pour y
croire dix secondes consécutives.

Je ne parviens pas à détacher mes yeux de la morte.
Son jour de congé! Elle se sustentait dans son pauvre
studio. Quelqu'un s'est pointé, qui a frappé. Elle a
ouvert. Ils devaient être au moins deux pour pouvoir la
ligoter sans qu'elle fasse du rébecca. Quand Sauveur
murmure en ricanant qu'on ne voulait pas la faire parler,
dans le fond c'est pas si glandu que ça comme réflexion.
Ceux qui lui ont rendu visite *sont venus pour la tuer*,
uniquement pour la tuer. Et c'est vrai qu'ils sont sa-
diques, la méthode choisie le prouve! Ils ont voulu
somme toute joindre l'utile à l'agréable.

— C'est lié, marmonné-je.

— Qu'est-ce qui est lié? demande Kajapoul.

Lui répondre quoi? Mon flair de flic me chuchote que
si l'on a buté cette petite entraîneuse de couleur, c'est

parce qu'elle avait des relations « privilégies » (comme ils disent) avec le Gitano. Sa mort *est liée* à la disparition de Miguel de La Roca. Comment ? Pourquoi ?

Le truand respecte mon mutisme. Dans sa partie, on fait pas chier le monde avec des questions déplacées. Alors, il n'insiste pas.

— Si on l'emballait et qu'on aille la filer dans la mer ? suggère-t-il.

— Monsieur voit grand ! fais-je. Monsieur ne se refuse rien pour son confort.

Néanmoins, sa réflexion m'ouvre des perspectives. Je retourne dans le coin entrée car j'ai cru y apercevoir une autre porte. Exact. Et cette seconde lourde donne sur une salle de bains minuscule. J'entreprends d'emplir la baignoire.

— Aide-moi à détacher la gosse et à la déloquer, Sauveur !

— Noyade ? il nargue. Je croyais qu'à l'autopsie on doit découvrir de la flotte dans les poumons, dans ce cas-là ?

— Reste à savoir si les autorités d'ici réclameront une autopsie pour une pute morte dans son bain. Et même dans l'affirmative, ça retardera l'enquête.

Le voilà convaincu, et on se met au charbon. Pas joyce ! Heureusement qu'elle n'est pas encore raide, la mère. Lorsqu'elle est à loilpé, on la coltine dans le bain qui vient de couler. Cela fait, on examine le tableau.

— C'est pas le genre de baignoire dans laquelle tu perds pied, émet l'ancien taulard.

— Faut constituer des circonstances, fais-je !

Courageusement, je saisis avec mon mouchoir un gros flacon d'eau de toilette posé sur l'étagère de marbre qui surplombe la baignoire et, les dents crochetées par l'effroi, je l'abats sur la tête de Maureen et le lâche. Ensuite, je tire la morte par les pieds jusqu'à ce que sa tête se trouve immergée : Version : en prenant son bain,

elle a voulu se saisir de la bouteille, celle-ci lui a glissé
des mains et elle est tombée sur son crâne. Estourbie, la
fille a glissé dans la baignoire.

Sauveur acquiesce.

— Toi qui es poulet, dit-il, tu te pointes dans cet
appartement, t'examines les lieux, la morte, tout bien,
c'est cette conclusion qui te vient ?

— Non, réponds-je en toute loyauté.

— Ah bon, soupire-t-il, j'ai eu peur d'avoir mal placé
mon estime.

C'est avant de vider les lieux que le fichtre me chope.
Un de ces élans irréfléchis dont je suis costumier
(comme dit Bérurier). Je vais au cosy de la morte pour
examiner la niche qui le longe. Elle abrite toute une
bimbeloterie idiote : des animaux de porcelaine, des
fleurs séchées en inclusion, des petites cuillers à café
dont le manche célèbre une ville ou un haut lieu touris-
tique, des peluches, des cendriers-souvenirs et même
deux ou trois bouquins d'amour pour serveuses de drug-
store enamourantes. Je saisis ces derniers et les feuillette
rapidement. Tout est question de psychologie, dans mon
job. En agissant ainsi, je me tiens le raisonnement
ci-après : « Je suis Maureen, l'entraîneuse. Un cœur et
un cul gros comme ça, mais un cerveau qui pourrait tenir
dans une boîte à pilules. Je suis tombée amoureuse d'un
gars marrant qui bouffe une chatte avec plus de talent
que Picasso n'en mettait dans sa peinture. Et puis ce
vaillant de la minette sur gazon m'annonce son prochain
départ. Moi, midinette chagrinée, je lui demande son
adresse. Il me la donne. Je suis le contraire d'une
intellectuelle. Chez moi, tu ne trouverais pas le moindre
bloc de correspondance. Où noter la chose ? Je chope le
seul support à ma disposition : la page de garde d'un de
mes romans à l'eau de rose. »

Ça se trouve dans le troisième *book,* délicieusement intitulé « Ton cœur deviendra mon cœur ». Et ça ne figure pas sur une page de garde, mais sur la face interne de la couverture. Et c'est sûrement pas Miss Maureen qui a écrit ça, car l'écriture n'est pas américaine, le texte non plus.

Je lis : *Mimi, le roi de la tarte aux poils.* Suit un numéro qui doit être téléphonique. Je montre ma trouvaille à Sauveur.

— Ce ne serait pas l'écriture du Gitano, ça ?

— Probable, en tout cas c'est son style. Il signait toujours « Mimi, le roi de la tarte aux poils » quand il écrivait à une frangine.

La lueur d'admiration qui brille en sa prunelle me met du baume au cœur.

— Qu'est-ce qui t'a donné l'idée de feuilleter ces bouquins ? ne peut-il se retenir de questionner.

— Les quelques milligrammes de matière grise qui font la différence entre mon cerveau et celui d'un poinçonneur de billets, réponds-je avec un rien d'immodestie dans le phrasé.

BALLE AUX PIEDS

Il s'obstinait à pratiquer le golf, tout en sachant qu'il n'arriverait jamais à la moindre performance en la matière. Sa bedaine qui le gênait. Un ventre énorme de buveur de bière qui ressemblait à une charge trop grosse pour ses jambes fluettes. Lorsqu'il maniait son club, il devait se pencher très en avant pour éviter d'accrocher son bide, et cette position rendait son geste inopérant. Cette putain de balle allait valdinguer n'importe où, jamais en tout cas dans la direction souhaitée. Depuis longtemps, il avait renoncé aux leçons de son moniteur, un grand pète-sec au visage d'Anglais qui lui piquait un pognon fou et l'engueulait comme Charly Rendell ne l'avait jamais plus été depuis son séjour dans une maison de redressement, ce qui remontait aux calendes grecques. Comme c'était un lève-tôt, il se rendait le premier sur le terrain. Il se passait des services d'un caddie pour ne pas avoir à subir de regards goguenards, voire ses sourires en coin, et se déplaçait sur l'un de ces étranges véhicules à moteur munis d'une sorte de dais rayé, qui semblaient avoir été conçus pour des déplacements lunaires: Charly s'y juchait laborieusement, en hahanant et en descendait avec plus de mal encore, toujours à cause de sa fichue bonbonne d'hydropique.

Ce matin-là, il se sentait dans une forme exceptionnelle. Le fairway s'étendait à l'infini, dans une vapeur bleutée qui faisait frémir les confins et donnait du romantisme au paysage. Sa première frappe conforta ce sentiment de bien-être. La petite balle blanche décrivit une trajectoire flatteuse et chut à quelques mètres d'un menu boqueteau de sureaux. Charly glissa sa canne dans le sac fixé verticalement à la voiture et la rejoignit en pétaradant. Un jardinier de son club, pilotant une énorme tondeuse verte et jaune, coupa sa route à bonne distance.

— Elle est là ! cria-t-il à Rendell en lui désignant du doigt un point du fairway.

— O.K. ! C'est gentil ! remercia Charly.

Il avait estimé que sa balle se trouvait plus à droite et se dit que sans cet employé bienveillant il aurait mis cinq minutes à la chercher. Et c'est toujours très con, un gros type avec un ventre comme un sac de farine qui cherche une balle de golf.

Lorsqu'il parvint aux abords de la petite boule gaufrée, le jardinier se trouvait déjà loin, sinon il lui aurait filé volontiers un bifton d'un dollar. Charly Rendell se montrait toujours généreux avec les gens modestes.

Il se choisit un « bois », sans trop savoir s'il convenait à la circonstance. Dans le fond, il faisait « semblant ». Toute sa vie, il avait fait semblant pour essayer « d'en être ». Prisonnier de son embonpoint, il se donnait le change à soi-même en usant de palliatifs idiots, comme par exemple jouer au golf chaque jour alors qu'il était si peu doué et n'en avait même pas réellement envie.

Il plaça ses grands pieds stupides en face de la balle et assura le club dans ses mains de catcheur. « Les genoux souples ! serinait son moniteur. La rotation du torse, l'épaule droite bien effacée pour assurer à la frappe une force… »

Charly retint son souffle. Il avait beau être seul, il

agissait pour un irascible spectateur qui était lui-même. Un spectateur infiniment plus critique que tous les autres, lesquels se foutaient pas mal, dans le fond, de ses ratages et de ses gaucheries de balourd. Il regarda en direction du trou, puis son attention se concentra sur la balle. Il banda son énergie comme pour l'arracher un court instant à la mollesse de son corps.

— Putain, Seigneur, il faut que je la cueille en beauté, fit-il.

Cela ressemblait confusément à une prière.

Il émit un « Hhhan ! » d'effort, comme le font certains tennismen lorsqu'ils engagent et frappent la première balle. Charly Rendell eut à peine le temps de comprendre. Il réalisa l'explosion avant d'éprouver la douleur. Il eut le temps de penser « Putain, Seigneur, une intensité pareille concentrée dans un aussi faible volume » ! Et puis il aperçut, avec l'œil qui lui restait, un tas de dégueulasseries qui chutaient en cascade de lui, et c'était ses tripes pleines de merde ! Et puis il devina qu'il ne devait plus subsister grand-chose de sa gueule d'empoté, tant ça pissait dru et ça s'effilochait d'abondance au-dessus de ses épaules.

« Putain, Seigneur, on ne pourra rien faire pour moi », songea-t-il.

Et tout cessa dans un embrasement rouge. A cette ultime seconde, seulement, il perçut le vacarme de l'explosion.

CE FUT LE TROISIÈME MEURTRE.

6

On est rentrés tard au *Big Pine Lodge,* Sauveur et moi. Pas joyces de notre aventure. On n'en parlait pas, mais lui comme moi, nous évoquions la petite sang-mêlé étouffée avec ses Tampax et sa culotte putassière. C'était pas sympa comme assassinat. On décelait la marque d'esprits tortueux. Devant nos crèches, on s'est quittés sur un simple hochement de tête, comme des mecs! Je commençais à avoir l'impression d'appartenir un peu au Mitan, moi aussi. Sauveur, il encaissait tout sans sourciller. Il avait fait le tour de la question ; pour lui, la vie, c'était comme une formalité de douane : fallait essayer de passer un maximum de trucs en fraude sans se faire poirer. La gagne allait au plus marle! Par amour pour sa môme, il avait raccroché sa panoplie du parfait petit gangster, mais sa mentalité demeurait la même. Dans le fond, il attendait rien, même pas la mort. Je me disais qu'un gazier qui n'espère plus en la mort doit se sentir vachement abandonné, plus seul que seul : maudit!

En entrant dans mon bungalow, j'ai tout de suite su « qu'elle » s'y trouvait. L'odeur! Je connais rien de plus subtil que mon pif. J'ai dû être chien de chasse dans une vie antérieure.

J'ai allumé. Effectivement, Maryse se tenait dans mon plumard, nue et belle, la tête posée sur sa main, avec le coude piqué dans l'oreiller. Sa jeune poitrine, si dure, semblait me souhaiter la bienvenue.

— Vous en avez mis du temps, a-t-elle reproché ; je commençais à me faire du souci.

Je suis allé m'asseoir au bord du lit, je l'ai saisie dans mes bras et sa chaleur m'a revigoré. Je n'ai pas parlé. J'étais las et ému. Je songeais à Marie-Marie, si loin, qui, au fond, n'avait plus envie de moi. Elle avait trouvé mieux qu'un homme : un boulot passionnant. J'étais relégué. Bien fait pour ma gueule ! Le beurre et l'argent du beurre, tu parles ! On se croit malin, on se croit fortiche, et on finit par être niqué de première. L'existence, ça ne pardonne pas.

Maryse, c'était un beau lot de consolation ; mais les lots de consaltion ne consolent jamais, j'ai remarqué.

Pour dire d'entreprendre, je lui ai roulé une pelle, une vraie, à longue autonomie. Les gonzesses qui t'attendent, ça les électrise illico. Lorsque nos « lèvres se sont séparées », comme ça écrit dans les romans sur papier-cul, je me suis agenouillé sur le pageot, face à elle, et j'ai écossé ma braguette. Il en est sorti de l'équivoque, du malbandé d'homme triste ; mais un joli coup d'harmonica sur le filet et l'objet allait récupérer sa vitesse de croisière. Elle savait ça, Maryse. A la façon dont elle m'a saisi l'Ernest de sa main de fée pour me l'engouffrer en douceur, j'ai su que la situation se trouvait déjà clarifiée. Pendant qu'elle m'interprétait, je lui ai groumé l'entre-deux, pas être en reste. Et ce gentil micmac m'a fait songer à Miguel de La Roca qui broutait ces dames des *Délices* avec un tel brio qu'il était devenu une vedette dans le pays !

Au bout d'un moment, Maryse m'a réclamé du sérieux, alors je l'ai calcée sans me défringuer, style « Viol dans la forêt viennoise ». Ça ajoute une rudesse à la chose, une violence vachement payante et qu'elle a appréciée. Heureusement que son vieux n'avait pas le bungalow contigu, ça m'aurait gêné qu'il entende sa grande fille choper un aussi somptueux panard. Ce genre d'exploit ravit les mamans mais fait de la peine aux papas. On est sentimental, l'homme, forban ou pas.

J'ai rêvé bizarre. Un cauchemar d'ivrogne, pourtant je n'avais pas bu. Sauveur se trouvait en taule (tu vas m'objecter que, jusque-là, y a pas d'extravagances notoires à signaler), dans la cellule des condamnés à mort. Au petit morninge on venait le réveiller, des gens malgracieux, forts mécontents de s'être levés si tôt ! Je faisais partie du lot. A quel titre, je ne sais plus. On lui a annoncé que son recours en grâce était dans les choux, mais il en avait rien à branler. Ça, c'était tout Sauveur, jusque dans mes songes abracadabrants. Le bourreau a dit qu'il allait lui faire sa toilette. Il brandissait d'énormes ciseaux à la mâchoire de crocodile. Mais au lieu de lui tailler les crins, il s'est mis à lui découper la poitrine. Quand ça a été fini, cela donnait une sorte de large plaque ayant la texture du lard fumé. L'homme a placé cette chose infâme sur un dossier de chaise. Du sang gouttait dans la cellule.

J'ai dû m'éveiller car le cauchemar n'allait pas plus loin. La main de Maryse caressait les poils de mon torax.

— Tu ne dors pas ? ai-je articulé.
— Non.
— Tu as trop chaud ?
— Non, j'ai peur.
— De quoi ?
— D'ici, de tout. J'ai comme une sensation funeste, la certitude qu'il va nous arriver quelque chose d'épouvantable.

Je me suis efforcé de la rassurer :

— Quelle idée !

Mais j'avais moi aussi des présages en travers de la gorge. Je songeais à la poitrine en chlorure de vinyle qui m'avait déclenché ce cauchemar. Elle était tellement injustifiable qu'elle me glaçait le sang.

Au bout d'un long moment, Maryse a demandé :

— Je vais te poser une question, tu es capable d'y répondre franchement ?

— C'est le contraire qui me serait difficile ! ai-je bougonné, vexé.

— Miguel, le copain de papa...

— Eh bien ?

— Tu crois qu'il est encore vivant ?

Sans réfléchir, j'ai répondu que non.

Elle a regagné son bungalow au petit matin, comme quoi, malgré tout, elle « se gênait » de son papa, comme on dit chez nous.

Pourquoi avais-je dit à la gosse que je croyais Miguel canné ? Une réaction spontanée. Je ne le « sentais » plus, le bouffeur de tartes aux poils. C'était comment, la formule de son cadet, déjà ? « Je suis capable de vous brouter la chatte pendant deux heures avant de vous enfiler ma grosse queue. » Je me demandais si c'était pas de la forfanterie ; s'il l'avait aussi grosse qu'il le prétendait, Manolo.

J'ai tiré mon petit carnet de famille de ma valise et je me suis mis à composer le numéro de mon pote ricain qui appartenait à la C.I.A. Ma sale impression croissait d'heure en heure et je me sentais comme un plaisancier éloigné des côtes et qui voit se former un cyclone. Fallait au moins ouvrir un pébroque. Manque de bol, on m'a appris que le gars en question venait de s'envoler pour les Philippines. Bon, la scoum se précisait. Je me suis rabattu sur le Vieux à Paris. Chiasse sur toute la ligne : il assistait à une inauguration de je ne sais plus quoi, je ne sais plus où, en compagnie de je ne sais plus qui d'illustre.

Alors, tu sais quoi? Je me suis rabattu sur Pinuche. Me fallait coûte que coûte confier ce pot de merde à un pote, un vrai. M'entendre raconter l'historiette et qu'une voix bienveillante me dise ce qu'elle en pensait. Il était midi en France et le nouveau riche s'apprêtait à déguster son pot de caviar de cinquante grammes avant de bouffer ses deux œufs coque et sa pomme Golden. Il se nourrissait de peu, César, malgré sa fortune récente qui eût pu l'inciter aux excès de la table.

— Je te croyais en vacances chez les Blanc, au Sénégal! s'est-il exclamé.

— Ben non, tu vois: c'est les States!

Et d'un bloc, je lui ai largué ma camelote: la rencontre singulière avec Manolo, et puis Sauveur, sa propose, sa fille, notre arrivée à Gulfport, la visite domiciliaire, les armes, les menaces adressées à cet Irving Clay membre du Cartel Noir, probablement, la visite aux *Délices,* la découverte de Maureen Granson, étouffée, celle de ce numéro de téléphone rédigé au dos d'une couverture de livre.

Il m'a écouté sans moufter, le Pinuchet. Religieusement!

— Tu comprends, terminé-je, on risque d'être accusés du meurtre, Sauveur et moi, et comme son pedigree est moins appétissant qu'une fosse d'aisance, nous pouvons très bien tomber, dans ce pays de cons, pour un meurtre que nous n'avons pas commis.

— Qu'est-ce que tu comptes faire?

— Je ne sais pas, je vais aviser.

— Méfie-toi de ce numéro de téléphone, note César, c'est peut-être à cause de lui que cette gamine est morte. Tu veux bien me le communiquer?

— Pourquoi?

— Pour que tu ne sois plus le seul à l'avoir, Antoine. C'est de la dynamite!

— Tu exagères.

— Tu sais bien que non. Je devine que tu vas tenter de contacter les gens auquel il correspond, prends bien garde à toi.

A la suite de ce coup de turlu, je me sens ragaillardi. Mes affres s'en sont allées comme une grande fatigue après une douche froide. Je vais à l'office commander le pot de café des idées claires. Sauveur s'y trouve déjà, taciturne, la tête rentrée dans les épaules. Il est vêtu d'une chemise Lacoste noire et d'un pantalon blanc. Il fait nervi-joueur-de-pétanque-marseillais. Je prends place en face de lui après que nous nous en soyons pressés cinq (chacun).

Comme je chantonne, il dit, en soufflant sur sa tasse de caoua :

— Toi, t'as la santé, ce matin !

— Il y a dix minutes j'étais à chier.

— Et il est dû à quoi, le revirement ?

— Tranquillité de l'âme. Sans vouloir te vexer, je ne pense pas que tu puisses piger ; c'est un état d'esprit que t'as sûrement jamais connu.

Il me balance un regard noir. La merde, avec les malfrats, c'est qu'ils croient toujours qu'on les cherche. Mes yeux d'innocence le désarment. Il écluse son breuvage.

— T'es pas un peu trop porté sur la gamberge, pour un poulet ? il articule par-delà ses chailles crispées.

— On ne pense jamais suffisamment, mec.

— Alors t'as pensé à notre béchamel ?

— En priorité absolue !

— Et ça débouche sur quoi ?

— Une première hypothèse, peut-être fumeuse et que j'échangerais pas contre un paquet de Bonux.

Il attend ; son petit croco Lacoste a l'air de se marrer et remue faiblement au rythme de sa respiration.

— Je peux te poser une question importante, Sauveur ? Je te donne ma parole d'homme, sur la vie de ma mère, que ta réponse restera entre nous.

Il bronche pas, ne m'accorde même pas un regard.

— Le Gitano, il lui est arrivé de dessouder des gens ?

Sauveur, c'est pas sa tasse de thé, ce genre d'interrogatoire. Sa frime renfrognée ne bouge pas d'un poil. Je comprends qu'il me faut en remettre si je veux espérer l'accoucher au petit fer.

— Ecoute, voyou, c'est toi qui m'as embarqué dans cette équipée ricaine. J'ai accepté parce que l'affaire m'intéressait et que...

— T'as accepté parce que tu tires Maryse ! gronde beau-papa.

Dis, il va bientôt prétendre qu'on est venu jouer les cow-boys aux Amériques pour faire plaisir à la guiguite folâtre.

— Les voyages de noces, Sauveur, on les fait à Venise, pas à courser un truand disparu dans le Milieu ricain. Si je te demande de me situer Miguel de La Roca, c'est parce qu'il nous est indispensable de piger la nature de ses activités avec l'étrange couple Clay. Il semble qu'il ait eu l'impression d'avoir trouvé sa vraie voie, la carte postale qu'il t'a adressée et ses coups de grelot à son frangin l'attestent. Alors moi, sale con de poulet, je te demande si ton aminche pouvait s'accomplir dans des crimes de sang. Tu me dis « oui », tu me dis « non », tu me dis « merde », mais surtout me fais pas la gueule parce qu'il y a deux choses que je ne tolère pas en ce bas monde, Sauveur, c'est la connerie et l'injustice.

Là-dessus, j'écluse une gorgée de café *very strong* qu'il me faut sucrer à mort pour le rende comestible.

Sans doute impressionné par ma diatribe, comme on écrit dans les œuvres reliées en peau de couilles, Kajapoul décide de déposer les armes. Il dit :

— Tu vois, dans la mesure où il serait fait aux pattes au cours d'une opération, le Gitano est capable de se servir de son feu ; lors d'un règlement de compte turbulent aussi. Mais c'est pas un tueur ! Jamais il accepterait un « contrat », si c'est ça que tu veux savoir. Sonner chez un mec et lui vider un chargeur dans le burlingue, t'as ma parole qu'il ne l'a jamais fait ni ne le fera jamais.

— Donc, ce n'est pas pour participer à des opérations de ce genre que feu Irving Clay l'a pris avec lui ?

— Impossible !

Il me plante les deux trous sombres qui lui tiennent lieu de regard en plein dans les carreaux et répète :

— Impossible.

— O.K., je te crois. Seulement ces Américains de passage en Europe l'ont comme qui dirait engagé et ramené aux States avec eux. C'est pas pour les aider à mettre en pot des confitures ! Il avait une spécialité dans l'arnaque, Miguel ? Tu m'as dit qu'après l'aventure de la Rolls volée, le type en noir lui avait confié un turbin dont Miguel s'était sorti avec les honneurs. Il pouvait s'agir de quoi, à ton idée ?

— Je ne vois pas. Bon, le Gitano est un battant, mais du genre touche-à-tout. Il sait craquer un coffiot, pour peu qu'il ne soit pas trop sophistiqué, neutraliser du monde dans une banque avec tact et efficacité, piloter une tire à fond de plancher dans une ville pour semer les draupers, engourdir de la joncaille chez un bijoutier, tout ça... Mais enfin, il est pas le Mozart de quelque chose. C'est le bon artisan, sérieux, performant. Ami des techniques, il ne craint pas de manipuler de la nitro dans les cas exceptionnels. Le lancer de la navaja, c'est son vice. Il pourrait travailler dans un cirque. Attention : pas pour planter un gonzier, mais pour impressionner le monde récalcitrant !

Sauveur se détend, son regard sourit au passé.

— Je me rappelle chez un directeur de banque qui refusait de déponner la salle des coffres. De l'autre bout de la pièce, Miguel lance son ya qui s'enfonce dans la boiserie contre laquelle le dirlo était adossé, juste contre son oreille ! Le mec s'est mis à dégueuler de frousse. La

surprise! Et le Gitano de lui dire en récupérant l'outil:
« On parie que je vous partage la glotte en deux? »
Après ça, le garde-pèze nous a ouvert toutes les portes
qu'on a voulu, même celle des ouatères.

On recommande du café. Il fait beau mais la mer est
encore plus marronnasse qu'hier. Une flotte aussi dégueu, c'est pas possible, sur les cartes postales, ils
doivent la retoucher! La rumeur océane compose un
long murmure désespérant. Si tu y prêtes attention, t'es
foutu: t'écoutes plus que lui.

— Voilà comment je conçois l'histoire Gitano, Sauveur. Irving Clay est un magnat du crime. Dans quelle
branche? Mystère. Il appartient à quelque consortium
dont les U.S.A. ont le privilège, si je puis dire, en
l'occurrence le Cartel Noir. Un truc énorme, genre
Mafia. Des bouleversements s'opèrent au sein de cette
organisation et l'on décide de liquider plusieurs de ses
membres importants, dont Irving Clay... Seulement il y
a des fuites, et Clay est prévenu. Il sait qu'il est foutu!
Que rien ni personne ne peut le sauver, sinon une astuce
grand format. Dans un premier temps, il vient tâter de
l'Europe, voir s'il n'y aurait pas une possibilité de salut
de ce côté-là.

« Que tchi! Le monde est trop petit pour échapper à
ceux qui ont décidé sa perte. Et puis voilà qu'un épisode
à la con lui déclenche un projet. Un malfrat lui secoue sa
Rolls. Ses péones ont dû assister au vol car c'est pour eux
un jeu d'enfant de récupérer la noble caisse dans ton
garage. Ces messieurs ramassent leur bien et emmènent
Miguel. Ce qui se passe alors entre ton pote et Clay, on
ne le saura sans doute jamais. Le Ricain prend l'avan-
tage sur le Gitano, ce ne doit pas être duraille car il est
d'une autre trempe, d'une autre classe. Miguel est sub-
jugué. Clay lui propose un turbin de rêve et ton aminche
qui est d'humeur vagabonde accepte. Départ pour les
U.S.A.

« L'idée d'Irving Clay est la suivante : *puisqu'il est condamné à mort, il va mourir avant qu'on ne le tue !* C.Q.F.D. ! L'œuf dur de Christophe Colomb ! Alors le voilà atteint du cancer. Il met ses affaires en ordre et prépare sa retraite, une planque où, une fois décédé, il pourra vivre tranquille. Seulement, quand il sera officiellement défunté, quelqu'un devra prendre sa place pour les pompes funèbres et l'incinération. »

Sauveur a un grondement qui lui vient du fond de la gorge. Il pose sa grosse main couverte de tavelures et de cicatrices sur la mienne.

— Miguel ! il fait.

— Je le crains, mec. Un type marginal, qui vient d'un autre continent où il n'avait presque pas d'attaches. Le cadavre idéal ! Quand l'opération « décès » est décidée, Irving fait constater sa mort, car il lui faut un permis d'inhumer en bonne et due forme, les gens du Cartel Noir n'étant pas des enfants de chœur.

— Merde ! La poitrine de plastique ! s'écrie Kajapoul.

— Tout juste, Auguste. Un bon grimage, une ambiance adéquate et le médecin mandé ausculte un bout de chlorure de vinyle. Il ne reste qu'à suriner le « remplaçant », à savoir Miguel, et vogue la galère ! C'est le Gitano qui crame ! Le couple n'a plus qu'à se tailler, la femme en veuve, le faux défunt en secrétaire, en chauffeur ou en tout ce que tu voudras. Ça, tu vois, Sauveur, au point de vue de la conception, c'est du grand travail. On côtoie le génie, n'ayons pas peur des mots !

Il a les traits tirés, mon truand repenti. La mâchoire saillante, le regard enfoncé, un léger frémissement des paluches.

— La vache ! marmonne-t-il. La vache ! Bien sûr que ça s'est passé comme tu le dis !

— Tu vois, fais-je, qu'il n'est pas inutile qu'un flic sache penser. Tout a fonctionné parfaitement dans le plan de Clay. Le seul grain de sable, c'est que le Gitano ait pu avoir le téléphone de la planque où allait rabattre le couple. Bien évidemment, ce n'est pas Irving ou sa femme qui le lui ont fourni. A-t-il fouillé leur chambre? Le sac à main de madame? On peut envisager des chiées d'hypothèses. Selon moi, pour réussir le coup de la fausse mort, ils avaient besoin de la complicité de Miguel. Ils l'ont donc mis dans la confidence, sans mentionner, bien sûr, le rôle qu'ils lui destinaient pour « après ».

« Ce con de Gitano étant amoureux, il s'est enquis du lieu de la future retraite, pour le communiquer à la gentille Noiraude. Ils ont refusé de le lui donner, ou bien lui en ont donné un faux. Mais comme ton petit camarade est futé, il aura voulu vérifier et il est parvenu à ses fins. Il refile donc le téléphone à sa petite Maureen. Cette dernière n'ayant plus aucune nouvelle de son bouffeur de frifri l'appelle au bout de quelque temps.

« Tu juges de la gueule des Clay quand, se croyant bien à l'abri, ils entendent une voix féminine réclamer après leur ancien complice trucidé! Ils ont dû avoir du mal à avaler leur salive. Et puis ils réalisent ce qui s'est passé. Ils questionnent la môme, lui font donner son adresse. De la vie de Maureen Granson dépend leur sécurité. Il faut la neutraliser illico pour conjurer le danger. L'opération est lancée dare-dare. Hier ils se pointent chez la fille et la tuent. Que penses-tu de ce récit, amigo? »

— Sans bavure. Il tient la route au point que je ne peux plus entrevoir d'autres explications, convient sombrement mon coéquipier. Donc, le Gitano est parti en fumée?

— Je le crains.

— Il sera vengé! assure le vieux voyou.

Le fossile de la réception me sourit avec bienveillance. Il est en train de rassembler par liasses des billets de un dollar sur lesquels un Washington emperruqué nous regarde en faisant la gueule. Il est guilleret par contre, ce matin, pépère. Peut-être s'est-il payé la jolie femme de chambre mexicaine qui a un sourire si fripon, du poil sur les pommettes et un cul de lingère bavaroise. Les petites velues, c'est pas tellement ma bandoche ; je suis davantage pour le velouté, mais à l'occasion, quand elles sont suffisamment salingues(ça se lit dans les prunelles), je les carambole sans leur faire payer la taxe sur la valeur ajoutée.

La Mexicano dont je te parle me file un regard plus ardent que la flamme d'un chalumeau. Elle se tient dans l'escadrin, à fourbir les marches et, telle que la voilà penchée, on pourrait vérifier la couleur de sa culotte si elle en portait une.

Le père Ladorure a suivi mon regard, surpris celui que la fille me lance, et un sourire de connivence lui fait mettre ses chicots en vitrine.

— Joli petit lot, hé ? il me dit comme dans les mauvaises traductions de séries noires américaines.

— Pour sûr ! rétorqué-je de même.

— Elle est très gentille, révèle-t-il d'un ton appuyé, ce qui indique qu'elle l'est avec lui.

Mais moi, c'est pas pour tirer une crampe que je me suis pointé à la maison mère.

Je tire de ma fouille un faf où j'ai transcrit les cinq premiers chiffres du numéro de bignou trouvé chez Maureen.

— Vous sauriez me trouver l'Etat et la localité qui correspondent à ce numéro téléphonique ?

Il avance ses besicles jusqu'à la pointe extrême de son blair.

— Il est incomplet ! remarque-t-il.

— Je sais, mais j'aimerais savoir du moins dans quelle région il se situe. Ça doit pas poser de problème, non ?

— Je peux déjà vous annoncer que c'est la Californie. Ma défunte sœur habitait là-bas et ça commençait pareil.

— Formidable ! On peut tenter d'en savoir plus ?

— Par les renseignements.

Je lui virgule dix piastres.

— Vous voulez bien arranger ça pour moi ? Quand on est étranger, on manque de moellleux pour s'adresser à l'administraîon.

Tu parles qu'il veut ! Pour le prix, il changerait le pot d'échappement de la Cadillac.

Dans l'escadrin, la gosseline mexicaine s'est arrêtée de peaudechamoiser les marches. Sa face un peu ronde est plaquée entre deux balustres. Elle me visionne carrément, sans se gêner. Sa ravissante blouse parme, retroussée, me fait cadeau d'un jeton de première : vue sur la cressonnière !

Le dabuche, à sa caisse, me touche le bras. Je me tourne. Il m'enjoint (de cul lasse) de grimper. Tu sais qu'il doit ranimer ses glandes fanées en chiquant les entremetteurs, ce débris ? Père maquerelle, ça lui titille encore l'arrière-salle des roustons. Du menton, du regard, du doigt, il me conseille d'aller à l'extase et me promet du contentement. Moi, tu me connais ? Je pars du principe qu'on n'a jamais trop de nanas à son tableau de chasse. Souvent, j'ai découvert des trésors au débotté de l'existence, alors que je n'espérais rien.

Je m'avance vers l'escadruche ; ce que voyant, Miss Poilauxpattes se met à en gravir les ultimes marches. Elle ouvre la première porte du palier, à droite. Je me pointe sur ses talons. Là, se trouve une chambre minuscule, juste équipée d'un lit qui ne comporte que le drap de dessous et ce dernier, crois-moi, n'est pas de la première fraîcheur. Tu y trouves la carte du monde dessinée au foutre, et puis des chiées d'archipels (à gâteau). Drôle de coin.

Si tu veux l'extrémité de ma pensée, le vioque, en bas, fait un peu de proxénétisme pour arrondir ses fins de mois. Quand il avise un clille esseulé, il appelle la petite

Mexicaine à l'aide d'un timbre, et la môme vient jouer son numéro de « visez ma chatte pendant que j'astique les marches ». Le client est intéressé ou pas. S'il l'est, le vioque lui donne le feu vert. Ayant remarqué que j'ai le pourliche facile (ça ne passe jamais inaperçu dans l'hôtellerie, cette manie), il s'est dit qu'il fallait absolument m'épingler.

J'entre dans cette salle d'opération (c'en est une). La gentille soubrette déslipée pousse un mignon verrou qui ne résisterait pas au coup d'épaule d'une souris blanche. Ensuite, avec une belle résignation, elle ôte sa jolie blouse sous laquelle elle est nue ! Tudieu, ce tablier de sapeur ! Du jamais vu, mon révérend ! C'est pas la toison d'or, mais le manteau d'astrakan de la comtesse de Tumelasecoux. Excepté une bande étroite de peau lisse à l'intérieur des cuisses, tout est recouvert d'une fourrure animalesque. Elle est issue du croisement d'un grizzli et d'une chienne des Pyrénées, cette chérie ! Quand tu l'enfournes, t'as la sensation de baiser un paillasson !

Je regarde, ébloui par cette luxuriance qui n'a rien de luxurieux. Ça lui grimpe plus haut que le nombril, ça rejoint les massifs sous les bras, se hisse par lianes frissées jusqu'à la barbe et, de là, aux favoris. J'aurais pas l'âme aguerrie, je me sauverais. Faut être viceloque pour embroquer ce sujet, rêver de copuler avec des brebis irlandaises, se faire des pognes au gant de crin !

Elle me sourit avec courtoisie et va s'étendre sur le pucier, les miches posées au ras d'une carte mal définissable qui ressemble à celle que M. Gorba-le-chef porte sur le crâne pour distraire l'attention de ses terlocuteurs étrangers pendant qu'il leur fait signer des bricoles sur le désarmement.

— Combien veux-tu d'argent, mignonne ? lui demandé-je.

Elle mumure :

— Ce que vous voudrez.

Je me fends d'un second billet de dix.

— Ça va ?

Elle opine (déjà) avec chaleur. Je lui refile la coupure.

Voyant que je ne fais pas un geste pour descendre les couleurs, ou du moins dégager ma fusée Appolo, elle demande :

— Vous ne venez pas ?

— J'ai déjà donné, fais-je. Vous m'excuserez ?

Une brève lueur de déception. Puis elle me fait signe, d'approcher mon oreille de sa bouche charnue. J'obeis malgré sa moustache qui me titille le lobe.

— Il faut faire semblant, si ça ne vous ennuie pas, murmure-t-elle en désignant la porte. M. Stenvenson écoute...

Bien ce que je pensais : il réanime les brandons de sa virilité au brasier des autres, le vénérable taulier.

Je cligne de l'œil, pose mes mocassins, grimpe sur le plumard où je me mets à faire du trampolino en poussant des cris chargés d'exprimer l'extase. Amusée, la gosse joint sa voix à la mienne et nous donnons au vieux birbe un concert sur sommier défoncé qui doit l'émoustiller. Au bout d'un certain temps (que je ne lui marchande pas), j'émets un cri de grande liesse où tu décèles le triomphe, la libération et la gratitude confondus. Miss Poil-poil lui trouve la rime et on se marre silencieusement.

Quand je juge le moment venu de refaire surface, je prends congé de la fille au tablier de sapeur et redescends à la réception où la vieille fripe chique les innocents derrière sa caisse.

— C'était comme vous aimez ? me demande-t-il.

— Mieux, fais-je. Ça m'a rappelé un pote à moi qui est fourreur à Paris. Vous avez trouvé mon renseignement, à propos du téléphone ?

— Bien sûr, je l'ai donné à votre ami.

— A mon ami?

— Qui est descendu avec vous et sa fille, Mister... (il lit dans son registre et articule:) Kadjapaoul.

— Mais pourquoi?...

Il m'interrompt :

— Il a payé la note et laissé un message pour vous.

Il me tend une enveloppe à en-tête du motel. Je l'ouvre. A l'intérieur se trouve un papier du *Big Pine Lodge* avec ces lignes tracées d'une écriture un peu incertaine :

Poulet,

Ta mission est terminée. C'est à moi de jouer à présent. Rentrez fissa en France, Maryse et toi, avant qu'un patacaisse éclate. Je compte sur toi. Chapeau pour ta collaboration : t'es un bourre de première classe. Te fais pas de mouron pour ma santé; je me suis équipé en douce avec ce qu'il y avait sous l'escalier de la maison que tu sais.

A la revoyure, grand; et merci.

Sauveur

Merde! ce coup tordu qu'il me fait, le beau-dabe! Franchement, je ne m'y attendais pas. Et pourtant je pige sa démarche. Maintenant qu'il sait son pote mort, il lui reste à le venger; pour cela, il n'a plus besoin de moi. Ce sont ses patins à lui. Il tient à la sécurité de sa grande fille et me confie le soin de la rapatrier.

J'enfouille le maudit message. Me voilà désorienté et flou.

— Bon, vous avez donné le renseignement à mon ami, mais vous devez vous le rappeler, je pense?

— C'était bien la Californie, région de Fresno.

— Merci.

Je balance d'un pinceau sur l'autre.

— Dites voir, mon ami est parti comment, il a pris la voiture?

— Non, je lui ai appelé un taxi.

— Et il est venu ici à quel moment ? Juste après que je monte ou juste avant que je descende ?

— Au moment où vous montiez. Je pense qu'il vous guettait depuis la véranda. Il est entré pendant que je téléphonais aux renseignements. Il avait sa lettre toute prête. Il a noté sur un papier le tuyau à propos du téléphone, puis m'a dit de demander un taxi et de lui donner sa note.

— Vous deviez piaffer d'impatience, dis-je.

— Pourquoi ?

— Parce que vous ne pouviez pas monter écouter à la porte. Dommage pour vous, c'était un super-gala et on a pris un pied géant, la petite bonne et moi. Vous pensez, j'ai une queue de quarante-deux centimètres ; quand les gonzesses encaissent un tel engin dans les miches, elles griffent les murs et chantent la tyrolienne en breton.

Sa gêne devient de l'éplorance.

Je ralentis en passant devant des champs de coton cultivés par des Noirs. *Autant en emporte le vent.* Dans le lointain, sur une colline, s'élève une gigantesque demeure à colonnes, celle de Scarlett peut-être. Elle est encadrée de grands arbres majestueux.

— C'est beau, non ? fais-je à Maryse.

Elle regarde à peine et ne répond rien. Au fond, elle a hérité de son père une sorte de self-control bourru qui lui permet d'encaisser les mauvaises surprises sans simagrées.

— Où allons-nous ? demande-t-elle.

— Je te l'ai dit : à l'aéroport de Jackson.

— Je sais, mais de là ?

— De là, il y a deux possibilités.

— Je suis pour la seconde, dit-elle.

Je passe outre :

— Ou bien nous prenons l'avion d'abord pour New York et ensuite pour Paris, selon le vœu de ton père, ou bien on prend le vol de San Francisco, d'où nous rallie-rons Fresno.

— Je suis pour la seconde solution, répéte-t-elle, farouche.

Son dabe, te dis-je !

— Ton vieux est con d'avoir voulu faire cavalier seul, naugréé-je ; je sais à quoi ça correspond pour lui, mais il porte ses pieds dans un sale guêpier. Après l'alerte Maureen, le couple Clay va drôlement être sur le qui-vive !

— Raison de plus pour prêter main-forte à mon père !

— Le tout est de le retrouver.

Elle hausse ses charmantes épaules :

— Il n'a pas tellement d'avance sur nous. Si ça se trouve, on va le récupérer à l'aéroport.

Mais point de Kajapoul à Jackson. Je m'enquiers des vols pour la Californie et j'apprends que celui de Los Angeles (que Béru appelle « L'Os-en-gelé ») est parti tôt ce matin, alors que celui de San Francisco ne partira qu'en début d'après-midi.

— A moins qu'il se soit fait conduire à La Nouvelle-Orléans, dis-je, il va prendre le même que nous.

Maryse est moins optimiste.

— Tu ne connais pas encore bien papa, assure-t-elle ; il n'agit jamais comme on s'y attend.

L'avenir me prouvera qu'elle n'a pas tort !

7

Lorsque nous débarquons à l'aéroport de Fresno, la journée touche à sa fin (grâce au décalage horaire, on peut accomplir le parcours dans le même après-midi). La masse de la Sierra Nevada, éclairée par le soleil couchant, forme une barrière à l'est, que la nuit investit par le bas. Est-ce à cause de la période vacancière, toujours est-il que la petite ville semble un peu morte. La circulation y est faiblarde et les enseignes lumineuses n'ont pas encore trouvé leur vitesse de croisière dans la pénombre que sabrent les clartés vives venues de l'ouest. Une poussière ocrée saupoudre la cité, biscotte le zef qui souffle comme un perdu, par rafales ardentes. La chaleur te saute sur le poil dès que le vent faiblit.

Nous commençons par louer une tire, ensuite de quoi je vais retapisser le repaire des Clay, dont j'ai obtenu l'adresse grâce au téléphone. Les renseignements m'ont donné: *Bilox Service. 1014 Main Road*. Je n'ai aucun mal à dénicher l'endroit.

Ma surprise n'a d'égale que ma déception lorsque je constate qu'il s'agit d'une station d'essence. Je m'attendais à une crèche rupinos, calfeutrée dans un parc touffu et je trouve trois rangées de colonnes d'essence rouges sous une dalle de béton blanc, avec une grande guitoune vitrée où se tiennent les pompistes et le caissier. J'aperçois des rayonnages garnis de bidons d'huile et d'accessoires automobiles tels que courroies de ventilateur, ampoules de phares, balais d'essuie-glaces, bougies, etc.

L'endroit me paraît parfaitement innocent. Je vais remiser la tire un peu plus loin et, saisissant Maryse par la taille, nous repassons devant la station d'un pas d'amoureux en balade. Deux des trois pompistes sont noirs, l'autre doit être mexicano. Le caissier semble être un petit Yankee rabougri et valétudinaire.

— Il y a eu une erreur, déclare ma compagne. Il est impossible que ces Clay se soient réfugiés ici : il n'y a même pas de logement.

J'acquiesce, n'ayant guère envie d'opiner pour l'instant.

— Il y a une cabine téléphonique au coin de ce block, là-bas, je vais redemander.

Moyennant une mise de fonds de quelques *cents,* une voix hybride (soit celle d'une dame mâle, soit celle d'un monsieur efféminé), confirme mornement ce que nous considérions comme une erreur : le numéro que j'indique est bien celui de *Bilox Service, 1014 Main Road.*

Je me fends d'un nouveau nickel et j'appelle la station. Une voix marquée faiblarde s'annonce :

— Bilox Service, j'écoute.

Celle du petit être malingrelet, sans aucun doute.

Ma pomme, je cache mon propre accent français derrière l'accent yiddish que j'adopte volontiers.

— Est-ce que vous faites les dépannages en ville ? m'enquis-je.

— Pas du tout. Adressez-vous à Day and Night, vous trouverez leur numéro dans l'annuaire.

— Merci.

Nos relations s'interrompent (provisoirement ?) là.

— C'est un mystère ! fais-je.

Maryse, qui se tenait dans l'encadrement de la cabine, murmure :

— Et si cette station service servait seulement de relais aux Clay? Imaginons qu'il n'y ait pas le téléphone là où ils se cachent?

— Tu rigoles, chérie! Le côté « en cas d'urgence, appelez-moi chez l'épicier »? Un mec condamné, qui tente de s'en sortir en se faisant passer pour mort et en surinant un pauvre gars venu d'ailleurs, se livrer à des pompistes, c'est impensable!

— Tu es certain d'avoir bien relevé le bon numéro? Tu n'aurais pas mal interprété un chiffre, des fois?

— Non. Le Gitano avait parfaitement tracé ses chiffres et j'opère toujours ce genre de transcription avec minutie: c'est l'abc du métier.

— Il y a un os quelque part, conclut-elle.

— Là, je suis pleinement de son avis: y a en effet un os, et c'est pas un os de lapin, mais un os de mammouth!

En pleine perplexité, nous rejoignons notre tire, mais en empruntant le trottoir d'en face, cette fois.

La nuit est complètement tombée. Les rues sont de plus en plus calmes. Quelques jeunes cons à tignasse longue et tatouages bicolores friment sur des motos à haut guidon, avec à l'arrière de leur selle, des gonzesses dont la jupe ras-de-moule dévoile leurs cuisses jusqu'aux épaules. Des Noirs chahutent en riant blanc, comme partout. Un vieux frimant, travesti en cow-boy mité de western d'avant-guerre, propose aux passants des choses indécises qu'il coltine dans une giberne sur son ventre. On doit se faire gentiment chier dans ce patelin. Que ce soit à Fresno ou à Châteauroux, à Manchester ou Salonique, les soirs d'été te filent la gratte. Population et boulot en veilleuse, ça ne pardonne pas: le spleen te biche. C'est l'instant cruel où la vie t'écœure dans les moiteurs. T'as même plus envie de te faire sucer, de boire du champagne glacé, ou d'apprendre que le fils de ton sale con de voisin a raté son bac, ni que c'est peut-être grave, l'occlusion intestinale de ta belle-doche.

T'es tout mourant de la pensarde. Tu souilles ton slip par inadvertance : même tes sphincters font relâche !

Elle soupire :

— Un flic fait quoi, dans ces cas-là, chéri ?

Je murmure :

— Il conduit sa gentille greluche à l'hôtel, puis il revient en planque près de la station. Il attend que le crevard de la caisse mette les adjas. Ensuite il le filoche pour voir où il crèche et qui il rejoint.

— C'est tout ?

— La suite est fonction des événements. Ou bien le mec rentre dans un modeste logement pleins de mômes loupés, puisque ce sont les siens, et le flic continue d'attendre ; ou bien le crevard a un comportement pas catholique et, alors, le perdreau, suivant sa nature, « l'entreprend ».

— C'est ainsi que tu comptes opérer ?

— Si tu n'y vois pas d'objections majeures.

— J'en vois une petite, concernant le début du programme. Pas question d'aller me boucler dans une chambre, mon ami. Je suis avec toi, j'y reste.

— Hier soir tu as voulu rester au motel en prétendant que t'en avais rien à cirer de nos excursions nocturnes.

— Hier était un autre jour, Antonio !

Bon, alors on attend.

On se paie quatre heures quarante de poireaute, à écouter la radio à bord de notre caisse sans perdre de vue l'aquarium illuminé où le petit caissouillard affure ses pétrodollars. De temps à autre, je roule une galoche princière à ma compagne. La promiscuité aidant, il m'arrive même de lui placer une main baladeuse dans le triangle des Bermudes, ce qu'elle apprécie au plus haut point et me revaut par une légère séance de trombone à coulisse à travers mon futal. Ces petites pratiques te contraignent vite à davantage. Rien de plus impétueux que les sens.

Comme nos élans du cul deviennent (Autriche) de plus en plus intenses, on échafaude une ravissante combinaison nécessitant de l'audace (je n'en manque pas), de la souplesse (elle en a à revendre) et une passion immodérée pour la baise en demi-levrette (ce qui est notre caractéristique commune à Maryse et à moi). J'admire la détermination de cette jeune fille qui, au lieu de chougner sur le décès de sa pauvre mère et la disparition de son vaillant papa, consent, avec ardeur, à se prêter au jeu délicat du coup tiré en pleine ville dans une automobile de marque Ford dont les vitres ne sont même pas teintées !

Je glisse l'objet de mes préoccupations dans son centre d'hébergement, avec délicatesse et célérité pour, aussitôt, me livrer à un mouvement pendulaire dont la lenteur est génératrice d'extases, quand, au plus fort, au plus dilaté de nos ébats discrets, le petit glandeur de la station se lève de son siège pour céder sa place chaude à un gros rouquin à qui il n'a manqué que quelques points à l'oral pour être réellement albinos. J'ai dit que le maigrichard était valétudinaire ; le voyant sortir de son batyscaphe, je le confirme. Dehors, il paraît plus malingre et malade encore qu'à l'intérieur. Ce gonzier doit être rongé par la tuberculose ou une vérolerie plus pernicieuse encore.

Bon, il est temps, hélas ! d'interrompre notre charmant manège, Maryse et moi. La pratique que nous sommes contraints, par devoir, de suspendre ne laisse pas d'être exquise et réservée, me semble-t-il, à une élite. Car, force m'est de l'avouer, une certaine ségrégation est en vigueur dans l'amour : le manar ne copule pas comme l'intellectuel et le paysan (un bon tireur qui trompe son monde) comme l'attaché d'ambassade. Il est, en amour, des combinaisons ingénieuses et charmantes qui donnent du piquant à celui-ci et apportent de la grâce à un acte apparemment bestial, qui, de ce fait, n'en comporte pas toujours.

Ayant remis Popaul dans ma musette et rajusté l'aimable fermeture Eclair qui nous fait gagner tant de temps, et donc, nous économise souvent bien des arguments hyocrites, plus ou moins tirés par les cheveux, je tourne ma clé de contact. La Ford a un léger vrombissement. Je place la manette en position « D » et c'est la souple décarrade dans Main Road, de plus en plus déserte.

Le délabré porte un blouson de faux cuir, dans les tons verts, ce qui confirme son aspect maladif. Il marche vite, remontant la large avenue comme s'il était pressé de regagner son logis. Une fois dans le centre, il s'arrête à une boutique montée sur roues, et y achète un club-sandwich qu'on lui emballe dans une barquette d'aluminium.

— Il vit seul, dis-je à Maryse.

— Tu crois ?

— Le gazier qui regagne son gîte à bientôt minuit et qui s'achète un en-cas, n'a pas de bonne femme à la maison pour lui préparer un frichti.

— Peut-être que sa femme est en vacances ?

— Possible.

Le crevard passe deux blocks et ensuite une rue en pente, pas très bien éclairée, où se bousculent des maisonnettes aux toits de tôle. Chacune d'elles comporte un jardinet grand comme un billard, dont les locataires ont à cœur d'entretenir le gazon au rasoir. Il s'arrête devant la sixième construction à droite, cherche ses clés et ouvre la porte. Je stoppe devant le trottoir d'en face et coupe mes loupiotes. Dans le pavillon, Césarin allume les siennes.

Un peu partout, on perçoit la rumeur nasillarde de la téloche dont la clarté laiteuse se reflète dans les vitres.

— Tu vois qu'il vit seul, murmuré-je.

La môme, franchement, elle reprendrait bien notre tendre activité prélavable (Béru dixit). Sa main gauche caresse mon bénouze, à la recherche d'une glorieuse bosse. Mais moi, quand je suis sur le chantier de naguère (toujours Béru dixit), je ne protubère pas.

— Attends-moi là ! enjoins-je.

Je quitte la guinde et traverse la rue. Le mec n'a même pas tiré ses rideaux devant le petit bout de baie vitrée. Il est déjà assis devant son poste de télé. Il a posé son blouson, ses godasses, et il mord sans grande avidité dans le club-sandwich, en tenant la barquette argentée sous son menton pour recueillir les miettes. Je ne distingue pas l'écran, le poste se trouvant dos à la fenêtre. Par contre, j'ai le crevard en première ligne.

Sûr certain qu'il est gravement malade, l'apôtre. La vacherie imparable : cancer, sida ? Il a le faciès d'un mec au bout du rouleau et qui s'obstine à continuer sa route. Putain d'elle, qu'est-ce qui peut motiver son ultime énergie ? C'est si bandant que ça, si grisant, d'enfouiller de la fraîche ou de débiter des cartes de crédit derrière un bout de comptoir dans une station d'essence ? Il prend son pied à ce boulot, le pauvre bonhomme ? C'est quoi, sa vie, en dehors de ça ? Ce pavillon de guingois de trois pièces où il vit seul ? Bouffer un sandwich bon marché en regardant des niaiseries à la télé ? Et puis se coucher et, probablement, gober un cachet pour pouvoir dormir jusqu'au matin ? Ensuite recommencer la journée après en avoir avalé un autre pour se sentir éveillé ?

Sur la droite de sa bicoque se trouve l'immuable garage compatible avec ce genre de pavillon. En ciment préfab', porte à bascule actionnable à la main.

Quelle tristesse ! C'est des trucs commak qui te rendent le mieux compte de l'inanité de la vie. Tu piges que tout est joué, vain et grotesque. Que ça ne valait pas tellement la peine que maman se défonce le ventre pour te mettre au monde.

Derrière son gros club-sandwich dilaté comme une éponge mouillée, il ressemble à un vilain rat malade, qui

grignote pour subsister. Il clape miséreusement les quelques vitamines chargées de l'emmener un peu plus loin
dans son chemin d'agonie. Qu'est-ce que je peux attendre de ce mec? C'est un souffle, un champignon
empli de poussière et qui n'est même pas vénéneux. Un
rien. Salut, petit homme! Dire que j'ai été tenté de
déranger sa torpeur! Allez: cassos, Sana! T'as assez
maté cette épave. Deviens pas voyeur, grand, te
complais pas dans les moroses délectances, ça manque
de dignité.

Comme je vais pour abandonner mon poste d'obser-
vation, Maryse se met à tousser depuis la voiture. Une
toux-signal. Je réalise que quelqu'un survient, dans la
rue, qui risque de trouver louche mon manège et de
porter le pet. Alors je vais me blottir dans une encoignure entre le pavillon et le garage. Effectivement,
une vieille pécore promène son cador en fumant. Le
clébard a autant d'odorat qu'un moulin à légumes car il
passe sans me détecter. Juste il licebroque un petit coup
sur le tube métallique supportant la boîte aux lettres. Et
puis mémère et son fiancé poursuivent leurs pérégrina-
tions nocturnes.

J'attends qu'ils s'éloignent. Là où je me trouve, il y a
un fenestron chargé d'éclairer le garage. La lune américaine en jette plein pot, projetant sa clarté morte à
l'intérieur de l'appentis. Moi, toujours à fureter, c'est
physique, je file un petit coup de périscope dans le local,
comme ça, à la désœuvrée.

Ce que j'y aperçois me laisse baba. Tu sais quoi? Une
Ferrari! Je répète pour si t'avais mal lu: une Ferrari. Et
pas n'importe laquelle: la Testarossa! C'est-à-dire un
engin qui va chercher dans les cent briques à sa sortie
d'usine. Alors là, y a de quoi se la peindre et se
l'encadrer! Une Testarossa, à Fresno, dans un petit
garage merdique fait pour abriter des chignoles promises
à la casse! Le bolide rouge rupine dans l'ombre. Il est
impressionnant comme un monstre endormi.

Alors, mézigue, c'est une action de grâce qui m'afflue au cœur. Sans cette promeneuse de toutou solitaire, je passais à côté de la *big* trouvaille. Je me cassais en exhalant des pitoyableries sur le crevard.

Il mate un film de guerre car ça cartonne à outrance dans son petit livinge-roume. La mitraillette inépuisable de Messire Rambo qui dégage du Viet à la tonne.

Je suis entré le plus tranquillement du monde, grâce à sésame, et tout à sa tuerie effrénée, le gus n'a pas perçu le léger cric-crac de la serrure cédant à mes instances.

Son logis est modeste, un peu bordélique, mais d'assez bon goût. Deux fauteuils de cuir, une chaîne hi-fi, une cheminée d'encoignure apportent un aspect confortable que confirment une série de lithos signées Miro. Par contre, je suis incommodé par l'odeur désagréable de médicaments qui flotte dans la pièce.

Le valétudinaire a déjà abandonné son bouffement. Une bonne moitié de son sandwich gît au sol, dans la barquette d'aluminium. Enfoncé dans son fauteuil, il regarde l'écran. C'est pas Rambo, mais néanmoins ça défouraille dur ; des mercenaires en Afrique, dirait-on. Ils carbonisent une tribu de sauvages peinturlurés par le maquilleur de la Metro, vachement belliqueux avec leurs lances trempées dans du curare et des têtes de mort accrochées à la ceinture.

Je m'avance, sans bruit. Il a une nuque étroite, pleine de moches bubons blanchâtres du bout. Ses tifs, d'un châtain grisonnant, clairsèment et laissent prévoir une calvitie d'un vilain jaune pisseux.

— Eh ben, on peut dire qu'ils se mettent une sacrée peignée, ces braves gens ! fais-je tout à coup.

Le caissier, sa stupeur, il l'encaisse mal ! Décolle son dargiflard de vingt-deux centimètres, se retourne, exorbite des prunelles, verdit, recroqueville ses lèvres et licebroque une giclette dans son slip épuisé.

Ma pomme, dégagé, je vais à la baie pour fermer le rideau.

— On sera plus tranquilles, dis-je. Vous savez qu'on vous voit depuis la rue ?

Considéré de près, il a encore plus mauvaise mine que de loin. Son teint est plombé, des cernes profonds soulignent son regard affolé. T'as l'impression que ses joues creuses se rejoignent à l'intérieur de la bouche. Y a déjà de la tête de mort chez ce type. Une prise de congé. Il est en partance.

Sa gueule dit « adieu » avant le reste.

Je gagne le fauteuil voisin du sien et, au passage, coupe la télé.

— Pas grand-chose à regretter, je lui fais.

Et puis je m'assieds. Il me regarde faire et tu dirais une mouche exténuée prise dans une toile d'araignée. Je sais qu'il ne se rebiffera pas, qu'il n'en a plus l'énergie. Faut quinze cents calories pour regimber. Là, s'il en a pris trois cents, c'est le bout du monde.

Comme je vais pour jacter, la porte que je n'avais pas refermée à clé s'entrebâille légèrement sur le minois de la môme Maryse. Elle me fait signe de l'aller rejoindre. Ce dont.

— Ça va ? murmure-t-elle.

— Un beurre !

— Pourquoi t'es-tu décidé à entrer ?

— Il y a une Ferrari dernier cri dans son garage.

— Je comprends. Sais-tu comment il s'appelle ?

— Pas encore.

— C'est ce que je viens t'apprendre, j'ai lu son identité sur sa boîte aux lettres : il se nomme Frederick Clay.

Poum ! Coup de gong dans ma tronche ! J'aurais dû avoir le réflexe de regarder moi-même. Pour un perdreau, c'est pas fortiche ! Si je m'écoutais je me déchausserais afin de m'administrer cent douze coups de pompe dans les noix !

Tout s'éclaire, s'embrase, irradie !

— Merci, ma poule. Retourne faire le vingt-deux à la bagnole, laisse le contact branché et, en cas d'alerte au gaz, un petit coup de klaxon qui va bien.

Je lui file une bise d'enthousiasme sur la bouche. Un de ces baisers brefs mais appuyés, chargés de promesses pour l'avenir. La dame qui le reçoit a déjà compris qu'elle peut aller faire du trot anglais sur son Jacob-Delafon. Maryse exit.

Je reviens à Clay. La question qui, présentement, le dévaste est : « Qui êtes-vous ? » Seulement, il est à ce point terrifié qu'il n'ose la poser.

Je croise les jambes, déboutonne ma veste.

— Dites-moi, Frederick, vous êtes le frère d'Irving, n'est-ce pas ?

Un battement de cil, impressionnant comme le roulement de tambour qui ponctua la décollation de Louis XVI, confirme mon hypothèse.

Cette fois, je pige. Les Clay viennent se terrer à Fresno qui est peut-être le berceau des deux frangins. Sans doute, quand il habitait avec eux, Miguel le Gitano les a-t-il entendus parler de cette ville. Il a repiqué le tubophone du frangin inscrit sur leurs tablettes et l'a communiqué à sa belle négresse.

— Comment va-t-il ? demandé-je négligemment à Frédérick.

— Qui ça ?

— Ben, Irving !

— Il est mort !

— Je sais, mais depuis ?

L'autre paraît ne pas piger.

— Mais il est mort, répéte-t-il, comme on s'adresse à un fou.

Je le regarde au fond des châsses. Et alors, une idée aussi sotte que grenue m'assaille : une supposition que le gérant de la Bilox Service ne soit pas dans la confidence, malgré les apparences ? Il y a dans son regard indécis, une réelle ingénuité. Je gamberge en vitesse, selon mon habitude dans ces cas-là. Un feu d'artifice de pensées qui partent dans tous les sens et éclairent fugitivement la nuit de mon incompréhension, comme l'a écrit Jean-François Revel, pas plus tard que la semaine dernière, dans son article de fond de *L'Humanité Dimanche*.

— Vous êtes allé aux funérailles de votre frère, à Gulfport ?

— Non, je suis malade.

— C'est indiscret de vous demander de quoi vous souffrez ?

— Une maladie incurable.

Je n'insiste pas.

— Après la mort d'Irving, la femme blonde qui vivait avec lui est venue habiter ici ?

— Non, pas du tout !

Là, oui, il ment. Regard faux derche presque ingénu. Ce qui prouverait qu'il était bel et bien sincère lorsqu'il affirmait que son frangin était canné. D'ailleurs, quand on cherche à sauver ses os, met-on son frelot dans la confidence ? Le secret est tellement capital ! Même si tu as confiance, tu dois craindre une imprudence ou une maladresse.

— Si, dis-je, elle crèche dans le secteur, mon cher Frederick, et il va falloir m'indiquer où.

— Mais je vous assure...

Je feins de décrocher :

— Vous aviez de bonnes relations avec votre frère ?

— Excellentes, oui.

— Vous vous rencontriez souvent ?

— Pas très, mais qu'est-ce que ça changeait aux sentiments ?

Il en parle avec une émotion contenue. Je suis frappé par cette coïncidence des deux fois deux frères : les de La Roca et les Clay. Le frère de Miguel me branche sur la

disparition de son frelot, et je viens chez le frère d'Irving
pour tenter de débrouiller ce sac de nœuds.

— Vous savez dans quoi il travaillait ?

— Import-export.

— Exactement ! Ces deux mots en ont masqué, des
paquets de merde !

— Pourquoi dites-vous cela ?

— Parce que ça serait anormal que vous mourriez
idiot !

— Vous voulez dire qu'Irving avait des activités illi-
cites ? C'est faux ! J'en sais quelque chose : la Bilox
Service lui appartenait et il a beaucoup d'autres affaires
à travers les Etats-Unis.

— Il vous avait pris comme associé ?

— Dans un sens, oui, car je suis intéressé aux bénéfices.

Je regarde autour de moi le modeste décor. Ce petit
pavillon égrotant n'a rien de commun avec la pimpante
maison coloniale de Gulfport.

— Et ce sont les bénéfices qui vous ont permis d'acheter une Ferrari Testarossa ?

Il clappe à vide. Sa frite moribonde se creuse un peu
plus. Je ne suis guère charitable de tourmenter ce mec en
partance.

— C'est celle de votre défunt frère, Mister Clay ?

Il secoue la tête.

— Non ? Alors elle appartient à sa veuve ?

Sa non-réponse équivaut à un assentiment.

— Vous voyez bien qu'elle habite par ici.

Il murmure : « Non, non », mais pour la forme.

— Autre chose, Frederick. Voici quelques jours, une
fille vous a téléphoné à la station. Elle demandait après
un certain Miguel de La Roca qui, prétendait-elle, travaillait chez votre frangin, vous admettez ?

Il hésite, puis acquiesce.

Bon, on progresse. Le finger dans l'engrenage. Toujours le même topo, pour les interrogatoires. Le jeu consiste à trouver le « fil qui dépasse ». Ensuite, t'as plus qu'à tirer dessus, avec précaution pour qu'il ne se rompe pas.

— Cette gosse vous a laissé ses coordonnées en vous priant de les transmettre à « la veuve » pour qu'elle-même les communique à ce dénommé de La Roca. Toujours exact ?

Nouvel hochement de tête.

— Alors, comme vous êtes un homme scrupuleux, vous avez appelé votre « belle-sœur » pour la mettre au courant. N'essayez pas de prétendre le contraire càr je ne vous croirais pas.

Silence. Qui ne dit rien consent.

— Voyez-vous, Frederick, je commence à me faire une idée de vous qui serait plutôt positive, reprends-je. Vous êtes un homme très malade qui jette tout ce qui lui reste d'énergie dans son travail afin de ne pas démériter. Votre frère Irving vous a confié la gestion de cette station-service et vous vous consacrez à son exploitation sans songer à votre santé. Vous mettez un point d'honneur à tenir ses intérêts, même à présent qu'il n'est plus. Moi, franchement, je trouve ça beau, Mister Clay. Maintenant je vais vous proposer une expérience intéressante, plus qu'intéressante : passionnante !

La question qui le taraude lui échappe enfin :

— Mais, bonté divine, qui êtes-vous et que voulez-vous ?

Je sors ma carte de flic et la lui colle sous le nez.

— Le mot est pareil dans les deux langues, fais-je. Police ! J'exploite mon fonds de commerce de l'autre côté de l'Atlantique, mais il m'arrive de travailler à l'extérieur. Officieusement, je vous rassure. Je suis comme une espèce de documentaliste qui ferait des vérifications aux Etats-Unis pour écrire un livre. Je n'ai aucun pouvoir : vous voyez, je joue cartes sur table.

Son mental se requinque nettement. Il cesse d'avoir peur.

— Comment s'appelle la compagne d'Irving ?

— Joan.

— Vous allez lui téléphoner !

— Mais je...

— Si, Frederick : vous possédez son numéro. Alors vous l'appelez.

— Pour lui dire quoi ?

— Seulement ceci : « Passez-moi Irving ! »

Il se redresse.

— C'est impossible, Irving...

— Irving vit, Mister Clay.

— Folie !

— Téléphonez, bon Dieu de bois ! Vous dites, le plus calmement du monde : « Joan, c'est Frederick, passez-moi Irving. » Naturellement elle va ergoter, protester, vous traiter de fou. Mais vous, inexorablement vous répéterez : « Passez-moi Irving, c'est une question de vie ou de mort. » Ecrivez ça sur un papier, Frederick, car, dans l'émotion du moment, les mots risquent de vous échapper.

Je furète dans son salon, ouvre les tiroirs. Je finis par mettre la main sur un cahier où il inscrit ses comptes. J'en arrache la dernière page et la lui présente avec mon stylo.

— Ecrivez !

Il se met à pleurer : les nerfs qui le lâchent, sans doute. Ses larmes coulent sur sa face émaciée. Il les essuie d'un revers de manche et entreprend d'écrire sous ma dictée : *Joan... c'est Frederick... Passez-moi Irving... C'est une... question... de vie... ou de... mort.*

Je récupère mon stylo.

— Il ne faut pas craquer, mon cher. Quoi qu'elle dise, ne prenez pas garde à ses questions. Elle va vous demander si vous êtes seul. Au lieu de répondre par oui ou par non, vous répéterez la phrase.

— C'est horrible! gémit Frederick Clay.

— Pour vous, admets-je, seulement pour vous. Elle ne vous passera pas Irving.

— Evidemment: il est mort!

— Quand je vous ferai signe que ça suffit, vous raccrocherez. Il se peut qu'elle rappelle aussitôt après, auquel cas, réitérez votre manège. Si elle a l'impression que vous avez perdu la raison, tant mieux.

— Mais vous êtes démoniaque (demoniac), pleurniche le pauvre type.

Drôle de mot! C'est la première fois, j'en donnerais ma bite à sucer à un anthropophage, qu'on me traite de ça. Démoniaque! Moi, l'Antoine, ton Sana frondeur! Prince de la carambole, qui produit assez de semence pour faire doubler en un an la population du Brésil!

— Ce n'est pas moi qui le suis, Frederick, vous en aurez bientôt la preuve!

Encore quelques paroles persuasives, une tape dans le dos et il compose le numéro!

Faites vos jeux!

DÉCRET D'URGENCE

La réunion avait lieu au quarante et unième étage d'un building bleuté de Manhattan. Bien qu'il fût une heure du matin, beaucoup de vitres brillaient de bas en haut du hardi édifice, et les fenêtres des pièces non éclairées recevaient les lumières de la cité.

Un homme d'une quarantaine d'années, pas très grand, râblé, regardait l'immense quadrilatère de Central Park dans la nuit. Les routes qui le sillonnaient étaient ourlées de lampadaires et les feux arrière rouges des voitures composaient une guirlande discontinue. L'homme songea à la faune douteuse qui devait grouiller dans les coins sombres du park : dealers, prostitués masculins, voyous armés en quête d'un passant solitaire, petits trafiquants obscurs, fourgueurs de marchandises dérobées. Des cloportes, songeait l'homme planté devant la baie, capables du pire, mais dont peu possédaient quelque envergure.

Un autre personnage, beaucoup plus âgé que lui, à la chevelure de neige et aux lunettes cerclées d'or, fumait un gros cigare, les mains croisées sur le ventre. L'une de ses paupières tombait, lui donnant un air assoupi.

Il grommela :

— Vous guettez quoi, Grosby ?

L'homme aux larges épaules se retourna :

— Je regardais Central Park. Vu d'ici, il paraît petit et, pourtant, il faut un sacré moment pour le traverser à pied.

A cet instant, un voyant lumineux, accompagné d'un ronflement électrique se manifesta. Le vieil homme au cigare appuya sur un contacteur en soupirant :

— Ah! tout de même...

Une double porte, laquée dans les tons ambrés, coulissa bientôt, livrant passage à trois personnages maussades. Le plus jeune pouvait avoir une quarantaine d'années et ressemblait à un héros de films d'espionnages. Il était très blond, bien fait, avec un regard tirant sur le vert et les mâchoires carrées d'homme d'action. Le second, un Arabe de toute évidence, paraissait légèrement plus âgé que le précédent. Il commençait à prendre de l'embonpoint. Ce qui surprenait dans son visage inquiétant, c'était l'ampleur de ses sourcils touffus : de véritables broussailles. Ses yeux de jouisseur luisaient comme des minéraux polis. Il avait des lèvres charnues qui donnaient du velouté à son éternel sourire. Le troisième arrivant détonnait à cause de sa mise négligée. Alors que les hommes rassemblés étaient tous d'une élégance plus ou moins recherchée, lui portait un jean douteux, un blouson râpé et des baskets. Ses cheveux paraissaient avoir été décolorés maintes fois et ne plus posséder de couleur naturelle, et comme ils se raréfiaient, il les collait sur son crâne à l'aide d'une gomina poisseuse qui, en séchant, formait des perles dures à l'extrémité de certaines mèches. Il avait le nez étroit et légèrement crochu, semblable à un bec de rapace. Une tache de vin marquait son cou sous l'oreille gauche.

Les trois arrivants saluèrent ceux qui les attendaient d'un « Hello » sans joie. Ce n'étaient pas des gens à effusions.

Le type au blouson murmura :

— Drôle d'heure pour une conférence.

Le vieux à cheveux blancs répondit :

— C'est comme ça.

Il proféra la chose sans animosité, d'un ton fataliste.

D'un mouvement de la main, il fit signe à ses visiteurs de s'asseoir en demi-cercle. Ils obtempérèrent. Le type qui, naguère, admirait Central Park, resta debout, les coudes sur le dossier d'une chaise, comme s'il entendait marquer qu'il jouissait dans ce bureau d'un régime de faveur.

— Ça devient critique, attaqua le vieux. La direction du Cartel Noir n'est pas contente du tout.

Il cadra sur son sous-main un feuillet où figurait une liste de noms et se mit à égrener ceux-ci, comme on fait un appel dans une classe afin de contrôler les absences.

— Charly Rendell, appela-t-il.

— Mort ! fit en réponse l'homme qui était resté debout.

— Quentin Deware, poursuivit le vieux.

— Mort ! lâcha le type blond.

Chaque fois, le personnage aux cheveux de neige rayait le nom sur sa liste.

Il reprit :

Franck Studder.

— Mort ! annonça l'Arabe.

— Irving Clay.

— Décédé ! soupira comme à regret le gominé.

— On en est sûr ? insista le chef.

— Vous savez bien que oui : cancer du poumon. Le toubib qui a signé le permis d'inhumer a eu sa photo en main et s'est montré formel.

— Bon !

Le vieil homme raya d'un trait énergique le nom de Clay.

— Reste Tom Limber, fit-il en déposant son crayon. C'est vous qui deviez l'assumer, Karl ?

Il s'adressait au blond.

Ce dernier regarda fixement son interlocuteur.

— En effet, mais il a disparu.

— S'il a disparu, c'est qu'on l'aura prévenu que sa vie était en danger ; de ce fait, il devient mille fois plus dangereux encore puisqu'il est traqué. Ecoutez, mes amis, la « chose » doit se produire après-demain et elle est irréversible. Il faut donc que Limber soit mort avant. Il le faut, bordel ! Tout le monde se met sur le problème ! Disparu, ça ne veut rien dire ! Disparu, ça n'existe pas ! On ne disparaît plus, à notre époque, exceptées quelques petites gamines qui quittent leur famille pour aller sucer des queues en Amérique du Sud. Et encore disparaissent-elles parce que la police s'en fout comme de sa première bavure ! Il vous reste une trentaine d'heures pour me récupérer Tom Limber. Vous passez pour être les meilleurs éléments de ce pays en la matière. Agissez ! Retrouvez-le et foutez-moi ce salaud en l'air de la façon qui vous plaira. Un échec compromettrait beaucoup de choses, à commencer par votre avenir à tous quatre. Je ne veux pas que vous preniez dix secondes de sommeil avant d'avoir réglé le compte de Limber. J'ai pas envie de me retrouver au fond de l'Hudson, à l'intérieur d'un bloc de béton. J'ai d'autres rêves concernant ma sépulture. Vous aussi, je suppose ?

Il les dévisagea posément, l'un après l'autre.

— Mais j'ai confiance, ajouta-t-il d'une voix apaisée. Vous êtes des terribles. Prenez le bureau voisin, il deviendra votre P.C. Ne regardez pas à la dépense, c'est l'opération chèque-en-blanc, mes drôles. Foutez les poulets sur le coup si besoin est, c'est le Cartel Noir qui casque ! Bon, je ne vous retiens pas.

Ils se levèrent et sortirent silencieusement, y compris l'admirateur du park.

Lorsqu'ils eurent quitté la pièce, l'homme aux cheveux blancs appuya sur un bouton de son téléphone

commandant un numéro présélectionné. Une voix de
femme lui répondit. Il déclara :

— Voilà, le branle-bas de combat est déclenché.

Il ajouta :

— Lorsque cette affaire sera réglée, il faudra découvrir qui, parmi nous, a alerté Tom Limber. Je n'aime pas
qu'on fasse du sentiment dans mon dos.

8

J'ai rangé ma bagnole dans une allée cimentée conduisant à un garage privé, ainsi elle n'attire pas l'attention et nous sommes aux premières loges pour surveiller le pavillon de Frederick Clay. Assis sur la banquette arrière, le malade proteste d'un ton brisé :

— Ecoutez, je ne comprends rien à vos manigances. Je suis extrêmement fatigué et j'aimerais aller me coucher.

J'éprouve quelque scrupule à lui infliger cette veille à bord de ma tire, mais elle est indispensable.

— Ce ne sera pas long, Mister Clay.

— Qu'est-ce qui ne sera pas long ?

— Quelqu'un va venir.

— Qui donc ?

— Là est la surprise.

Je dois admettre qu'il a parfaitement joué son rôle au téléphone. Beaucoup mieux que ce que j'espérais, et sais-tu pourquoi ? A cause de son épuisement. Ses « Joan, passez-moi Irving ! » avaient quelque chose de pathétique. Il les répétait comme un leitmotiv, et cette litanie l'accablait. A l'autre bout, la femme vitupérait. Je l'entendais glapir des « Qu'est-ce qui vous prend, Freddy ! Avez-vous perdu l'esprit ? » sur un ton qui dénotait un affolement croissant. Quand enfin, sur un signe de moi, il a raccroché, elle a tout de suite rappelé, mais comme il poursuivait sa requête lamentable, c'est elle qui a fini par interrompre la communication. Ensuite, j'ai prié Frederick Clay de me suivre jusqu'à ma guinde afin d'y attendre la suite des événements. Il m'obéissait mornement. Je sentais confusément qu'il redoutait mes entreprises tout en ayant confiance en moi. Question d'ondes qui s'entrecroisent. La plupart des gens, surtout lorsqu'ils ne sont pas trop mauvais, me trouvent sympa et m'ont à la chouette.

Un quart d'heure encore s'écoule.
— Elle habite loin ? demandé-je.
— Une vingtaine de *miles*.

Ça vit comment, un homme traqué qui vient de changer d'identité ? Au fait, il doit probablement s'appeler Miguel de La Roca maintenant, Irving ? Fatalement, il a pris et bricolé les fafs du Gitano pour poursuivre sa triste route.
— Vous êtes allé chez elle ? insisté-je.
— Chez Joan ?
— Oui ?
— Non. Vous savez, en dehors de mon travail à la station, je n'ai plus la force de me déplacer, tout me pose problème.
— Elle vit seule ?
— Elle a ramené, m'a-t-elle dit, un domestique français, d'origine espagnole.
— Ce de La Roca qu'une femme vous a demandé au téléphone ?
— Peut-être. Je n'en sais rien.
A cet instant une voiture survient, qui roule avec la lenteur d'un corbillard. Une Porsche blanche décapotable. Il y a une femme blonde au volant. Elle marque un

temps d'arrêt devant la bicoque de Frederick Clay, jette un œil à la maisonnette éclairée où la télé continue de fonctionner, puis poursuis ma route.

— C'était Joan, n'est-ce pas? fais-je à Frederick.

— Oui. Elle est repartie?

Comme si je savais les intentions de la femme blonde. Et moi, tu sais quoi?

— Non, réponds-je, elle va revenir.

Avec assurance. A croire que je connais les motivations secrètes de chacun.

Quelques minutes passent, et puis la femme réapparaît, à pince, cette fois. Elle a dû remiser sa Porsche plus loin. Elle s'approche de la maison, essaie de regarder par la fenêtre, mais le rideau que j'ai tiré ne lui permet pas de voir à l'intérieur.

Marrant: dans un second temps, elle va mater par le fenestron du garage si la Ferrari s'y trouve toujours. Une Porsche, une Ferrari, j'ai idée que les chignoles c'est leur hobby, aux Clay.

La présence du prestigieux véhicule semble la rassurer, alors elle retourne à la maison. La porte n'étant pas caroublée, elle entre. Un temps assez copieux s'écoule lentement comme une blennorragie en voie de guérison[1]. Joan ressort (l'instant étant grave, je n'ajoute pas « à boudin », selon ma joyeuse habitude, mais le cœur y est). Elle revient à la rue en courant presque et — ô surprise! — (comme on dit dans les livres très très cons), au lieu de prendre à droite pour rallier sa voiture, elle tourne à gauche, ce qui ne laisse pas de m'intriguer (comme on dit aussi dans les mêmes ouvrages). Du coup, je sors de ma guinde pour aller voir.

La femme se dirige vers une Nissan verte déguisée en

---

1. La puissance du style san-antoniais réside dans la hardiesse des métaphores.

Jean Dutourd
(de l'Académie française)

fausse Range Rover. On distingue un homme coiffé d'une gapette à longue visière au volant. Il attend.

Je mets en route et pique droit sur la Nissan verte. Je stoppe au niveau de ladite de manière à l'empêcher de repartir.

— Frederick, fais-je, descendez dire bonjour au monsieur qui se trouve dans cette caisse !

— Mais...

— Grouillez-vous !

Il obtempère. Parallèlement et de manière concomitante, la blonde a voltefacé et nous mate sans piger. Un court instant, elle croit que j'ai ralenti parce que la voie est étroite et qu'elle se tient du côté de la chaussée. Et puis elle avise son « beau-frère » et elle s'écrie :

— Frederick ! Non !

Ma pomme j'ai déboulé et me précipite sur Joan. Elle se parfume à mort, la mère.

Mon premier soin est d'éternuer. Mon second de la bicher par une aile. Qu'à peine, je ressens une brûlure fulgurante au flanc. La charognasse vient de me planter une lame dans la viande. Mais d'où la sort-elle ? L'avait-elle dans une gaine ménagée entre les plis de sa jupe ou se trouvait-elle fixée à son avant-bras ? Ça a crissé sur mes côtes premières. La cuisance me flanque mal au cœur. Dès lors, j'allonge une manchette à la glotte de madame et elle choit sur elle-même pour se coucher sur son ombre gracieuse, à même la chaussée.

— Irving ! s'écrie Frederick Clay en reconnaissant son frelot.

Tout ce que je te rapporte avec ces scrupules d'auteur qui ont assis ma réputation (sur un pouf, mais confortablement néanmoins) s'opère en un laps de temps réduit aux aquets. T'aurais pas le temps de compter jusqu'à quatre.

— Hello, Mister Clay ! lancé-je à Irving, on dirait que ce four crématoire, c'était une couveuse, pour employer un mot qui a fait long feu.

Le mec, sa riposte est celle d'un pro. D'autant qu'il était sur ses gardes, lui aussi. Je vois sortir de la portière dont la vitre est baissée, le mufle impressionnant d'une monstrueuse pétoire comme je n'en ai encore jamais rencontré face à face. Un crépitement imperceptible, que tu croirais qu'on perce des ballons rouges à coups d'épingle. Ploff, ploff, ploff, ploff!

Tout se paralyse en moi, ou pire encore, se stratifie. Je deviens un minéral. Mon souffle se bloque. Une agonie fulgurante m'emporte chez Dache, le perruquier des zouaves, que disait ma mère-grand. Le froid, le noir, le silence se joignent à mon immobilisme intégral.

Pas des sensations. Seulement des projets d'impressions de sensations.

C'est infime, ténu, nul et non avenu. Un affleurement à la surface du réel, et puis je m'enfonce. M'engloutis. Rien.

C'est des hommes vieux. Avec de jolis costumes, des jolies pochettes tombantes, des souliers briqués marbre. Des décorations aussi. Ils se persuadent qu'ils ne sont « pas si âgés que ça ». Mais moi, je sais que c'est râpé pour eux. Ils ont été eus par le temps, ce grand vilain loup. Ils font encore semblant, en s'observant. Chacun se jugeant plus jeune que les autres. Mais ils sont tous irrémédiablement vioques. En train de finir, en train de pourrir quelque part. Passé soixante-cinq, ils l'ont dans le cul. Cette limite franchie, y a que le désespoir qui peut encore te garder jeune. Et puis l'amour, bien sûr, si une frivole veut encore de toi, de ta queue toujours bandante. Mais combien ont encore la rage de se survivre, dis-le-moi, Eloi? Combien se battent encore contre le courant, et nagent? La faillite des autres, c'est qu'on ne les jalouse plus. L'homme reste en état d'existence tant qu'il suscite l'envie. Quand cette gueuse a relâché son étreinte, c'est qu'ils peuvent crever, le « service autant pour moi » est avancé !

Des vieux, j'en frime à perte de vue. Des hordes ! Que disé-je, des exodes ! Le grand départ ! L'embarquement de Dunkerque où, à la place de soldats britiches, on ramasserait des vieillards. Perlouze piquée dans la cravate. La pochette ! Lotion Trouduc after-shave !

— Avancez ! Avancez ! les gandinus de la délâbre ! Les vacillants du crépuscule ! *Go ! Go !* La vie éteint ses loupiotes, commence à mettre les chaises à la renverse sur les tables ! On ferme !

La foule des cacochymes s'intensifie. Je prends de la hauteur. Vu d'hélico, le spectacle est saisissant ! De plus en plus de vieillards calamistrés, calamiteux, pomponnés, avec des parfums pour cacher les fragrances de la mort intéressée. Je monte plus haut ! Ils arrivent de partout. Rien que des hommes, rien que des vieux beaux. Toute l'Europe recouverte de ces étranges cancrelats. Et les voilà qui marchent sur les eaux, qui volent dans les nues. Ils jaillissent, ils s'imposent.

Je pousse un cri déchirant.

Putain que j'ai mal ! C'est un cahot de la fourgonnette, et aussi ma blessure au côté, et sûrement le jet de gaz pétrifiant. Du mal à respirer ! Des nausées, du feu, la merde ! Bien que je me croie lucide, je continue de voir déferler les vieux. Non, non, effet d'optique. Suggestion. En réalité, c'est la pauvre gueule ravagée de Frederick Clay qui me file ces visions.

Il a eu sa dose, lui aussi. Le frangin ne lui a pas fait de cadeau. Il est toujours dans le *schwartz*, et sa frime est si alarmante que je me demande s'il en sortira. Maryse ? Je ne la vois pas, mais je la « sens », la respire. Son parfum. Toujours les prouesses de mon pif. Si je peux remuer, je tâcherai de me soulever sur un coude et je suis persuadé que je la verrai sur le plancher de ce véhicule. A ma droite. Seulement il faudrait que je me retourne, et j'ai tellement mal! Je respire étroit, par minces goulées. La vache, dans quel état suis-je! Moi qui pétais le feu. En une pincée de secondes, me voilà réduit à une loque! Grabataire! Peut-être foutu!

On roule sur une mauvaise route, ça c'est sûr. Depuis combien de temps? Je ne sais pas où les Clay nous conduisent, mais ce sera pour nous y assassiner. Un mec comme Irving, et sa tigresse, tu parles! Je revois la petite Maureen étouffée dans son studio.

Il me semble percevoir une conversation. Jusqu'alors je n'étais pas en mesure de réaliser la chose. Le couple parle dans la cabine. Je tends l'oreille et essaie de donner une cohérence aux syllabes que je capte. Tout est si déglingué dans ma tronche! Je crois que la femme demande s'il est sûr du coin où nous allons. Il rit, répond que nous ne serons pas les premiers. Qu'il y a déjà pas mal de monde dont on n'a plus jamais entendu parler. C'est si retiré, si désolé que même les amoureux n'osent pas aller y forniquer. Parfois, une bande de punks s'y réfugie un jour ou deux pour y partager le butin d'un casse, mais ils restent à la lisière de la mine, n'osent s'enfoncer dans les profondeurs de la galerie. Sans lumière, on chocotte.

Ils se taisent parce que le véhicule cahote trop fort pour permettre de deviser. Et puis ça s'aplanit un chouïa et la converse repart:

— Tu comptes y laisser Frederick aussi?

— Non. Si sa disparition était connue des gens du Cartel Noir, elle leur semblerait bizarre et ils seraient capables de commander une enquête à leurs « spécialistes ».

— Alors on en fait quoi?

— Freddy va canner de sa bonne mort. Son sida arrive à expiration (il rit cyniquement). Au retour, tu le transporteras à l'hôpital.

— Mais s'il reprenait connaissance?

— Il ne reprendra pas connaissance.

Ah! il a l'esprit de famille, Irving.

— C'est qui, ce couple?

— Tu as vu comme moi qu'il s'agit d'un flic français.

— Qu'est-ce que la police française a après toi?

— Je suppose qu'elle est à la recherche de Miguel.

— Et comme tu es devenu Miguel...

— Ben oui.

— Alors, c'est fichu?

— Pas encore. Mais il faut que nous sachions très exactement ce que ce couple a appris. Si eux seuls sont au courant, il reste de l'espoir.

— Sinon?

— J'aviserai.

— Tu es un battant, Irving.

— Ça te surprend?

— Non, chéri. Je t'admire. Tu t'en sortiras toujours.

Charmant dialogue. Je me sens moins mal, plus exactement plus lucide ; mais précisément, ma souffrance croît avec ma lucidité recouvrée.

On danse encore beaucoup. Montagnes russes! Virages. Nids-de-poules. Et puis la voiture s'arrête enfin. Le coup de frein final m'a fait me retourner. Mes yeux se plantent dans ceux de Maryse. Elle aussi a récupéré. Elle aussi a entendu la converse du couple. Son extrême pâleur provient-elle du gaz inhalé ou de ce que se sont dit les deux malfrats? Ces gens, c'est l'aristocratie de la saloperie. Le *nec plus ultra* de la cruauté froide. Rien ne compte pour eux, la vie d'autrui moins que le reste. La porte du fourgon coulisse sur un rail intérieur et une bouffée d'air frais nous arrive. Tu parles d'un élixir, d'une jouvence! Maryse essaie de m'exprimer ses craintes, elle ne sait pas que je suis au courant de la situation.

Dans l'encadrement, j'avise Irving et sa compagne. Ils se découpent en ombres chinoises sur la nuit.

— Ça paraît désert, non ? demande Joan.

— Ça l'est. Passe-moi la grosse lampe à accus, je vais aller jeter un œil dans la mine. Pendant ce temps, tu sortiras les outils de la soute.

— Ça va être pénible de creuser, grommelle la femme.

— Penses-tu, c'est friable comme tout. Il s'agit seulement d'aller loin et de les recouvrir, c'est pas des sépultures d'Arlington !

Il s'éloigne peu après ; j'entends son pas déclencher des éboulis. Il faut que j'essaie quelque chose maintenant, pendant qu'il s'absente et que la porte du fourgon est ouverte. Seulement, tu penses : ils nous ont entravé les jambes et les poignets avec des poucettes[1] et je suis tellement ensuqué que je ne m'en rendais pas compte. De plus, son gaz devait être également toxique car je me sens si faible que je serais incapable de soulever une cuillère à café.

Des raclements, des heurts métalliques. La brave femme prépare notre inhumation. Pelles, pioches, tout le gentil matériel de camping pour les enterrements express est retiré du compartiment à outils.

Retour d'Irving. Je l'aperçois plein cadre, enfin ! Un rayon de lune me l'offre. T'as déjà regardé des serpents dans les yeux, toi ? Ça !

Autant que j'en puisse juger, il a des pupilles rectangulaires, comme les bêtes sataniques. Un visage géométrique, avec un nez grec, des pommettes un tantisoit proéminentes. Il nous considère, dans notre gracieux pêle-mêle sur le plancher du fourgon. Aucun sentiment ne s'exprime sur cette figure figée. En voilà un qui a dû faire autant de morts dans sa garce de vie que la bataille de Verdun, et en y prenant plaisir. C'est le tueur froid,

---

1. Il est curieux de constater combien cette invention policière est utile aux criminels.

déterminé, que rien n'a jamais ému et n'émouvra jamais.

Il sort des clés de sa poche et libère Maryse.

— Levez-vous, je vous prie, mademoiselle !

La pauvre môme essaie de se mouvoir, mais le putain d'anesthésique ruine notre volonté de mouvement. Nous continuons à être des loques.

— Je vais vous aider, reprend Irving. Donnez-moi votre main !

D'autor, il se saisit du poignet de ma charmante amie et la hale. Lorsqu'elle est assise au bord du fourgon, il se baisse et la charge sur son épaule d'un coup de reins. Et puis il part avec son fardeau dans les profondeurs de la mine abandonnée, en balançant l'énorme lampe carrée qui éclaire le tunnel comme le ferait un projo de D.C.A. La lumière, d'un blanc impitoyable, balaie les entrailles de la terre. Cela descend en pente douce, ce qui doit accroître la peur de Maryse car c'est l'enfoncement dans les abysses. Je distingue confusément des étais, des madriers disloqués, un wagonnet ayant déraillé et qui, depuis de longues années, doit rouiller sur place. La lumière se fait clarté, la clarté lueur, et puis le noir reprend ses droits, comme l'a écrit si admirablement André Gide dans: « Gare tes miches, Baby, j'arrive ! » le second volet de « Les Caves s'en vont tiquant ».

Joan grimpe dans le véhicule pour me visionner à loisir. Le drame c'est qu'elle est jolie, pleine de charme, de sex-à-poil et de tout ce que tu voudras. Pas du tout l'air d'une tueuse. Cette dadame qui tutoie timidement la quarantaine, tu l'emmènerais dans une chambre climatisée, tu baisserais le rideau de fer en laissant juste un chouïa de clarté et tu lui déballerais le grand jeu. Elle doit aimer le radaduche, espère ! Des regards comme elle m'en jette, je les identifie illico. C'est signé « big salope », « feu aux miches », « take me all »[1].

---

1. En français dans le texte.

— Vous êtes drôlement excitante ! lui fais-je. J'espère qu'Irving vous réussit, bien qu'étant américain, car ce serait de la folie de passer à côté d'une affaire de ce calibre.

Elle a un sourire amusé.

— Vous croyez les Américains peu doués pour l'amour ?

— Pas peu, pas ! Mais il y a sûrement des exceptions. Irving vous a déjà fait « le téléphone de brousse » ?

— Qu'est-ce que c'est que ça ?

— Et « la mandoline en chaleur » ? Il vous l'a faite, « la mandoline en chaleur » ?

Elle hausse les épaules.

— Vous dites n'importe quoi !

— Vous croyez ça ? Vous savez, Joan, vous êtes une femme coriace, votre coup de couteau de bienvenue, ce soir, en est la preuve. Une sorte d'aventurière sans scrupule, et pourtant je parie qu'en amour, vous ne connaissez pas le centième de ce que sait — et fait — n'importe quelle petite shampouineuse de chez nous !

Sans doute, lecteur ami, trouveras-tu bien singulier ce marivaudage en un moment aussi dramatique de ma vie, et te diras-tu, avec cet esprit critique qui tant me fait chier, que ton San-A. prend à la légère des circonstances dont le dénouement va nous être fatal à Maryse, à Frederick et à moi. Certes, je conçois ta surprise, voire ton indignation, mais je t'objecterai que lorsque tout est fini dans l'existence, il faut tenter de faire bonne figure, ne serait-ce qu'eu égard à l'estime que l'on se porte.

Je tente l'impossible. Ce qui est un devoir, le Seigneur ayant doté l'homme de l'esprit de conservation et la femme, de l'esprit de conversation.

Donc, ami lecteur que tant je choie, nonobstant les sentiments qu'il m'inspire, donc, dis-je, je risque une manœuvre désespérée. Celle de la séduction ipso facto qui se pratiquait couramment à l'époque de la décadence romaine. Ayant repéré la nymphowoman chez cette gonzesse, je me dis que là est son talon d'Achille. Mon regard affaibli par la minable lumière du plafonnier se charge de toutes les lubricités.

— J'ai entendu votre conversation avec Irving, chemin faisant, dis-je, et je ne me fais aucune illusion sur mon sort. Je sais que vous allez nous faire mourir tous les trois. Alors, pendant que votre jules « questionne » ma petite camarade d'infortune, accordez-moi une faveur que vous n'oublierez jamais, parole de Casanova !

— Qu'est-ce que c'est ?

— Permettez-moi de savourer votre sexe, Joan. Ne me dites pas que la chose ne vous tente pas. Quand on est aussi sensuelle que vous l'êtes, la perspective de se faire faire minouche en un tel instant, par un gladiateur vaincu, doit vous exciter comme une folle. Quelques minutes d'absence de votre mec, la nuit en ce lieu escarpé, ma vie condamnée, le fait que je sois enchaîné, la présence même du frère, tout vous est un motif d'hyperexcitation. Retroussez votre jupe à plis, ôtez votre slip et agenouillez-vous sur moi, je vous promets des sensations que vous ne soupçonnez pas, belle dame.

Elle rit sauvage. Profère un mot qui doit correspondre à « chiche », mais, tu t'en seras aperçu, je manie insuffisamment la langue de Margaret Tâte-Chair pour en être absolument certain.

Elle a un regard en direction de la mine béante. On perçoit des sons réverbérés par les profondeurs. Quelque chose comme des vitupérations qui s'enflent et se répercutent. Irving doit, en effet, « questionner » Maryse. La moleste-t-il ? Je pense plutôt qu'il la menace de l'abandonner dans la mine en lui décrivant ce qui l'attend, toutes les joyeusetés : le froid, le noir, les rats, la faim, les chauves-souris grosses comme des vampires.

— Venez vite ! fais-je à Joan, nous n'avons pas une seconde à perdre.

Alors, le diable, la digue du cul, la rage des sens la poussant, la petite madame accomplit les différents actes que je lui ai conseillés. Décarpillage fulgurant. Ensuite de quoi elle m'achevale, se porte à ma connaissance, se positionne. Chère créature emportée par le débordement de sa sexualité ! Je n'ai qu'à attaquer ma tyrolienne de cérémonie. Ah ! les hauts alpages autrichiens ! Dieu que le son du corps est triste au fond des boas ! Comment qu'elle participe, la gueuse ! Se propose total, m'incite à outrance, exécutant avec cette science innée de la baiseuse chevronnée un délicat mouvement raboteur. Attention les yeux ! Les trous de nez ! La tarte aux poils, si on ne maîtrise pas son sujet, ça peut vite tourner à la confusion, au délire.

Je m'emploie avec un brio acquis grâce à une solide expérience et à un entraînement de *marines*. Elle gémit doucement en langourant du frifri. Elle doit se dire (si tant est qu'elle puisse encore formuler des pensées) qu'il faut aboutir avant le retour du grand méchant. Irving, s'il trouve son brancard en train de se faire harmoniser la moniche à la menteuse de caméléon, il va piquer la grosse crise, tout mort qu'il soit ; lui jouer « Résurrection » au battoir à cinq branches ! Alors elle prodigue de tout son tempérament excessif, s'accompagnant même d'un solo de guitare en contrepoint.

Ses cuisses, douces et musclées, enserrent ma tête, obstruant mes oreilles. Ce qui ne m'empêche pas d'entendre un hurlement *terrific*, venu des profondeurs de la mine. Cri de femme qui exprime une indicible souffrance. Ma chevaucheuse, ça la survolte. Elle en glousse d'aise. Pas longtemps. Rassemblant tout mon courage je lui mignarde l'ergot de contrôle, applique ma bouche en ventouse, lui dégage le bistougnet à la menteuse. Et puis j'accomplis un effort fabuleux pour engager au max mes chailles carnassières dans sa venelle aux délices. Illico elle pousse un léger cri de surprise ravie, mais ma pomme, devenu loup enragé, je plante mes dents dans son intimité et je mords !

Tu entends, Armand ? Je mords à en crever. Le trapéziste qui fait la toupie volante, tout là-haut sous le chapiteau, en se tenant par les ratiches à un embout fixé à un émerillon, franchement, il serre pas plus fortement que ma pomme. Tout de suite j'ai un goût de sang dans la bouche ; un morceau de chair qui, si je ne m'abuse, devrait avoir servi de clitoris à madame, il n'y a pas si longtemps, me choit au fond de la gorge et me fait tousser.

La Joan a hurlé. Son cri est une rime à celui de ma brave Maryse. Elle a un soubresaut pour me fuir, mais quelque chose la retient. Tout de suite, je pige pas ce dont il s'agit (comme dirait le Gros). Elle tire en arrière, entraînant une forme sombre. Elle ne crie plus, émettant des couinements étouffés. L'ensemble, entre-lacé, compact, choit du fourgon et alors j'ai la révélation du drame : Frederick est sorti du sirop. Au moment où je déchirais à belles dents l'intimité de Joan, il lui a passé ses poignets enchaînés autour du cou, faisant décrire un tour à la chaîne et il s'est suspendu aux bracelets des cadènes, si bien que la garce est non seulement déclitori-sée mais probablement aussi dénuquée.

Clay frère, il l'a saumâtre d'avoir été à ce point pigeonné par son frelot, d'autant qu'il a entendu an-noncer sa mise à mort prochaine. Il est fou. Ses ultimes forces, il les jette dans cette mission meurtrière. Il veut la peau de sa belle-sœur. Il sait que le triste Irving lui voue une passion sans mélange deux temps, et que la mort de sa femme sera pour cet abject sire la plus terrible des punitions.

Je crache à perte de vue, écœuré par le sang et ce relief humain qui, sur pied me plonge dans le ravissement mais une fois sectionné, me débecte. Scène de cannibalisme intime, interprétée par le fringuant Tantonio des

concerts parisiens. Il aura tout vu, tout connu, l'artiste.
Y en aura-t-il eu des périodes glauques dans ma putain
de carrière !

La lumière revient en se balançant, accompagnée d'un
bruit de course. C'est Irving Clay qui a entendu le
hurlement de souffrance de sa bergère et qui rapplique
ventre à terre. Il déboule, haletant, du tunnel, voit
l'étrange scène : sa gonzesse ensanglantée du bas, étran-
glée du haut, si j'ose dire. Et strangulée par qui ? Par son
crevard de frère qui ne tient plus sur ses fumerons !

Alors tu verrais la rage du mec ! A coups de pied dans
les côtes de Frederick. Il lui shoote dans la tronche, dans
le ventre. Comme il trouve ce traitement insuffisant, il
ramasse une grosse pierre et l'abat sur son crâne. Frederick s'immobilise. Irving soulève la pierre à nouveau, et
rrran ! Et puis encore ! Et encore ! Caïn dans ses basses
œuvres. Le bocal du chef pompiste éclate, il en sort du
sang, des choses blanchâtres, des bouts d'os. Rran !
encore ! Rran ! toujours ! Qu'à la fin, c'est plus qu'une
flaque épaisse,le portrait du second Clay.

L'épuisement consécutif à sa crise homicide stoppe
Irving. Il reste à genoux, les fringues éclaboussées de
raisin, les mains poisseuses, le regard halluciné ; à bout
de souffle ; à bout de forces. Il considère son œuvre.
S'applique à détortiller la chaîne du cou de Joan, mais à
quoi bon ? La position de sa tête blonde indique assez
qu'elle a rendu son âme fétide à son Créateur, dont je
me demande ce qu'Il va bien pouvoir en faire !

Alors le faux mort est hébété. Il reste tassé sur
lui-même, au-dessus des deux cadavres.

« Sana, me dis-je, voilà une occase que tu ne retrouveras plus jamais ! »

Au cours des derniers événements que je viens de
relater au lecteur, mes forces, gravement diminuées par
les mauvais traitements qui me furent infligés, sont
quelque peu revenues. L'énergie bande mes muscles. La

volonté fait le reste. Dès lors, je me redresse lentement, silencieusement, en tapis noir, quoi, selon Alexandre-Benoît, l'Indéfectible. Me ramasse sur moi-même (tiens, en voilà une expression vraiment à la con, se « ramasser », et sur « soi-même » encore !) et je saute de tout mon poids sur Irving.

Dans sa prostration éperdue, il n'a pas eu le temps de parer. Je l'emplâtre tout complet, braoum ! Il choit sur le côté. Moi, sans perdre une seconde : coup de boule dans sa mâchoire. Ça craque, c'est bon signe. Encore ! Et puis je triple la mise. Il inanime. Le temps de reprendre ma respirance et de me relever, je lui savate encore les couilles : puisque sa Juliette est clamsée, le Roméo peut se permettre de trimbaler désormais ses baloches dans une voiture à bras ou les faire remplacer par des balles de ping-pong. Le voilà plus que groggy : marmeladeux !

J'ai vu, naguère, qu'il plaçait les clés des menottes dans la poche gauche de son veston. Je les empare, me délivre. Bono ! Tu es toujours unique en ton genre, San-Antonio ! Maintenant la lampe et je cavale dans la mine.

Le sol est dangereux, peu apte à une course à pied. Y a des rails plus ou moins disloqués, des blocs de pierre, des pièces de bois, des wagonnets abandonnés, d'autres trucs pas conformes, pas francos, inidentifiables, qui m'embûchent de toutes parts. Je me déplace le plus rapidement qu'il m'est possible en appelant Maryse. J'ai peur, tout soudain. Peur que ce fumier d'Irving ait commis l'irréparable. Le bruit de ma course, mes appels amplifiés, déformés, ajoutent au cauchemar.

— Mary-y-y-yse !

J'avance toujours. Ça continue de descendre en pente douce. De l'eau dégouline un peu partout ; son ruissellement fait un buit de rivière. Et l'autre Antonio, flageolant, le cœur chamadeux, les tempes battantes, la gorge brûlante, de s'enfoncer dans la planète Terre avec la frénésie de l'angoisse poussée au max.

A-t-il mortellement blessé la fille de Sauveur? Je vais avoir bonne mine, mézigue, si je lui ramène un cadavre, au malfrat! Je lui dirai quoi? Qu'au lieu de regagner la France, suivant son injonction, je l'ai embarquée au casse-pipe? Il va le prendre comment, le teigneux Turc? Les archers de la république mitterrandienne qui s'en vont guerroyer avec des jouvencelles en terre étrangère et qui affrontent les pires bandits U.S., c'est pas dans le cahier des charges, ça!

— Mary-y-y-yse!

Me semble avoir perçu un gémissement. Je presse l'allure, me tordant les paturons sur ce sol crevassé.

Le violent faisceau de la lampe fait danser ce décor d'engloutissement, cet univers d'enfer (Rochereau). La galerie décrit un coude, ensuite cela forme une sorte de carrefour d'où partent deux autres tunnels en fourche.

— Mary-y-y-yse!

— Antoine!

Dieu soit loué. Je poursuis sur la droite et je la distingue en limite de faisceau, tache claire allongée sur le sol fangeux. Elle gît dans une surprenante posture: une jambe engagée entre les rayons d'une roue de wagonnet. Je comprends la raison du terrible cri qu'elle a poussé tout à l'heure: ce salaud lui a brisé la jambe en utilisant la jante de fer comme point d'appui. Il n'y va pas par quatre chemins, le monstre. Lui, avant de questionner une femme, il lui brise une canne pour créer l'ambiance, la conditionner.

Je dégage Maryse comme je peux, elle hurle de souffrance. Je cherche de quoi confectionner une éclisse, finis par dénicher deux morceaux de ferraille dont je lui emprisonne la jambe, cassée plus haut que la cheville, en me servant de ma ceinture comme d'une sangle.

Avec mille précautions, j'assure la môme dans mes bras.

— Tiens bon, ma biche, serre les dents!

Elle tente de refréner ses plaintes, mais elle souffre tant qu'elle pousse des cris à chacun de mes pas.

— Et eux? murmure-t-elle entre deux plaintes.

— La femme est morte, lui n'en vaut guère mieux.

— Tu as pu?

— Pour la femme, c'est Frederick qui lui a soldé son compte. Moi, je me suis occupé de l'homme.

Je marche lentement en direction de la sortie. C'est cette courageuse môme qui tient la lampe.

C'est long. Elle a mal, moi je peine. Et puis l'air frais de la nuit.

Maryse pleure de souffrance. Je me dis que si le mec vit encore, cette fois je le massacre. Mais je n'aurai pas à me donner cette crise de conscience : il s'est barré. Oui, t'entends? Avec le fourgon, laissant les deux cadavres au sol. En manœuvrant, il est passé sur le corps de son frère.

Cette fuite me déconcerte. Etant armé, il pouvait nous tuer avant de filer.

— Il t'a questionnée pour savoir qui était au courant de sa fausse mort?

— Oui.

— Tu lui as dit?

— J'ai parlé de mon père, oui, et j'ai ajouté que vous aviez prévenu la police française.

— O.K., je pige. Il a préféré gagner du temps plutôt que de nous mettre en l'air, ce qui n'aurait rien changé à son problème.

Un sacré fumier de coriace. Parvenir à se carapater, après ce que je lui ai mis dans la tronche et dans les claouis, c'est Trompe-la-Mort, ce gars! Le Raspoutine du crime.

Je dépose ma malheureuse petite potesse sur des broussailles séchées. La mine s'ouvre dans les flancs de la Sierra Nevada. Derrière nous, un peu plus au sud, les cimes enneigées du mont Withney; devant, des chaînes basses descendant jusqu'à la plaine côtière. On aperçoit les lumières de Fresno et, plus loin, beaucoup plus loin, sur la droite, un immense flamboiement qui doit être San Francisco.

L'endroit où nous sommes est escarpé, désolé. La mine a cessé d'être exploitée depuis très très longtemps et la vorace nature est en train de faire le ménage pour gommer la trace des hommes. On est beaux ! A des kilomètres de maquis de tout secours ! Avec une jambe salement cassée qui doit nécessiter une opération délicate.

— Comment te sens-tu, mon petit cœur ?

— Ça ne va pas fort !

— Tu sais ce qui nous reste à faire ?

— Tu vas me laisser et partir chercher du secours ?

— Il n'existe pas d'autre alternative.

Elle murmure :

— La seule chose que je te demande, c'est de m'emmener à l'écart de... de ces...

— Naturellement.

— Dans un coin caché, bien caché, pour le cas où il reviendrait.

— D'accord, mais n'aies crainte : il ne reviendra pas. C'est un homme traqué à présent, il n'a plus qu'une idée : se planquer. Mais où ? Le danger que nous représentons pour lui est secondaire ; il fuit un mal bien plus terrifiant : le Cartel Noir !

— Qu'est-ce que c'est ?

— L'organisation criminelle la plus puissante et la mieux structurée des Etats-Unis. La Mafia n'est rien en comparaison. C'est parce que les chefs ont décidé de le supprimer qu'Irving Clay a manigancé tout ce bigntz. Peut-être avait-il réussi à leur donner le change avec son décès naturel. Mais quand ils vont savoir qu'il les a dupés, ça va être une drôle de corrida.

— Que peut-il faire ?

— Dans l'immédiat, changer encore d'identité, profi-
ter de ce qu'il n'est plus surveillé pour se chercher une
planque ; mais ce ne sera que différer l'inéluctable.

Tout en lui parlant, je me suis mis en quête de la
cachette dont elle rêve. Je déniche, tout près, un en-
tablement rocheux recouvert de mousse et abrité par un
foisonnement de plantes touffues. Elle sera mieux pour
attendre. Je mets ma veste sur elle et lui laisse la lampe.

— Il va te falloir beaucoup de courage, ma chérie, car
ça risque d'être long. Bouge le moins possible et
conserve ta jambe allongée.

Un baiser savoureux sur sa bouche fiévreuse.

Elle soupire :

— Les étoiles ne sont pas les mêmes que chez nous.

— Mais si, dis-je, c'est une idée que tu te fais : nous
sommes dans le même hémisphère.

Et je m'éloigne.

9

Faut que je te fasse rire.

Un pote à moi, rencontré à mes débuts dans la Rousse, commençait la plupart de ses phrases par cette promesse : « Faut que je te fasse rire ». Et il débitait immanquablement des trucs sinistros, pas rigolos du tout. Des balourdises, des lieux communs, d'insipides pauvretés qui te flanquaient de l'uticaire dans les trompes d'Eustache.

Eh bien, moi, franchement, faut que je te fasse rire.

Imagine-toi que moins de deux kilomètres en contrebas de la mine, coule une rivière impétueuse. Au bord de cette rivière, il y a une clairière. Dans cette clairière, deux tentes de campinge montées côte à côte. Un foyer bâti avec des pierres trouvées sur place où rougeoient encore des cendres incandescentes. Nettement à l'écart, un véhicule ricain, énorme mastodonte de ferraille dans lequel tu peux transbahuter le fourbi d'une compagnie.

Je m'en approche et essaie d'ouvrir la porte. Elle ne résiste pas. Les clés sont au tableau de bord. Faut dire que quand tu viens bivouaquer dans un endroit aussi désert, tu n'as pas peur des voleurs. Comme le terrain est en déclivité, les campeurs ont calé les roues de leur véhicule avec de grosses pierres. Je retire celles-ci et, m'arc-boutant comme un taureau fougueux, je pousse la tire. Elle s'ébranle très lentement, peu à peu la voilà qui prend de la vitesse. Alors Sana saute au volant et laisse dégouliner son bolide.

J'ai mis le contact afin que la direction ne se bloque pas. Le tank peint dans les bleu aubergine franchit trois ou quatre cents mètres avant d'être stoppé par un relèvement du terrain. Là, j'enclenche le moteur, manœuvre pour faire demi-tour et passe en trombe à l'orée du campement. Les gonziers bivouaqueurs doivent croire qu'il s'agit d'une tire de passage, venue d'ailleurs et qui y va. Des gardes forestiers en train de faire une ronde nocturne.

— Déjà ! s'exclame Maryse, ravie.

Elle qui s'apprêtait à attendre pendant des heures, voire plus d'un jour !

Pour la soulever et l'installer dans la chignole, c'est drôlement coton. Elle a la fièvre et sa jambe la fait de plus en plus souffrir. Par chance, il y a une petite pharmacie de secours à bord du tombereau. Je lui administre deux aspirines et use de bandes Velpeau pour mieux maintenir mon attelle sur sa fracture.

En route !

A nouveau, la clairière. *Tout reposait dans Boz et dans Jérimadet.* Les campeurs continuent de camper, nous de décamper, la nuit de s'opacifier et la haine que m'inspire le sinistre Irving Clay, de croître sans embellir.

Le chemin raviné le cède à une voie mieux entretenue, la voie mieux entretenue à une route authentique, et nous gagnons ainsi les faubourgs de Fresno. Il y a encore des Noirs bourrés de H qui fument devant des seuils. Je parviens à leur faire dire où se trouve l'hôpital et je fonce y déposer la môme Maryse. Version aux urgences : nous avons eu un accident de voiture. Paperasseries inéluctables, dépôt d'un acompte. On prend la gosse en charge.

Elle défaille de souffrance.

— Courage, ma gentille, lui soufflé-je à l'oreille, je viendrai te voir dans la journée.

— Que vas-tu faire, Antoine? a-t-elle encore l'énergie de s'inquiéter.

— Mettre la main sur ce tueur.

— C'est si important?

Oh! dis, elle démissionnerait, la fille du gars Sauveur? Donnerait quitus au salaud qui l'a torturée, qui a buté son propre frère, Miguel et la petite entraîneuse de couleur? Sans parler des méfaits qu'il a pu accumuler au cours de sa carrière?

— Oui, Maryse, c'est important, c'est terriblement important, et je ne rentrerai pas chez moi tant qu'il restera sur ses deux pattes.

My opinion est qu'il me faut rapidement abandonner cette énorme benne à ordures et récupérer ma propre tire, laquelle, je le suppose, doit être restée devant chez Frederick. Je me rends donc à la bicoque du malheureux « Abel » et, fectivement, j'avise ma pompe plus ou moins bien garée devant le garage de Clay *number two*. Les clés sont en place. Irving a dû agir prompto après nous avoir sulfaté son gaz à la con et s'il a rangé ma bagnole c'est uniquement pour dégager sa charrette à lui qui se trouvait bloquée par elle.

Je repars au volant de la grosse caisse et vais abandonner celle-ci sur un parking, à bonne distance de la modeste demeure de Frederick. Retour à pied. La fatigue me cisaille. « La journée sera rude », avait déclaré Damiens, le régicide, en entendant ce à quoi il était condamné. Pour ma pomme, la nuit est rude !

A l'instant où je m'apprête à monter dans ma chignole, je constate que la porte de la masure Clay est ouverte, alors qu'elle était close quelques minutes plus tôt !

Tiens, tiens ! comme disait Napoléon en découvrant un poil de cul qui ne lui appartenait point dans la culotte de Joséphine. Et moi, de m'avancer jusqu'à la maisonnette. Dommage que je ne sois pas armé. Je m'hasarde (altération du verbe musarder) jusqu'à l'ouverture, risque ma tête à l'intérieur et découvre un gazier accroupi devant un meuble qu'il est en train de fouiller. Le zig en question a les sens surdéveloppés car, bien que je n'aie fait aucun bruit, il subodore ma présence. Le voilà soudain qui se jette en arrière, roule sur lui-même tout en dégainant un calibre capable de zinguer un éléphant adulte, et me braque.

— Tu ne vas pas faire ça à un pote, Sauveur ! lâché-je.

Il reste tout glandu, avec sa rapière, sa frime de mercenaire en commando et son œil écarquillé pour me viser. Cette attitude est terrible lorsqu'elle est « en situation », mais elle devient bidasse quand elle s'avère injustifiée[1]. Il a pas l'air malin, mon coéquipier. Tu croirais la vie de Rambo, interprétée par Jean Lefèbvre.

— Relève-toi, pense à tes rhumatismes ! conseillé-je.

Il finit par rigoler et se remet debout.

— Comme on va s'assaillir de questions, mec, je te propose de commencer, fais-je. Qu'as-tu fait depuis que tu nous as largués comme des malpropres au *Big Pine Lodge Motel* ?

Il hausse les épaules et grogne :

---

1. Je devrais écrire « quand il est avéré qu'elle est injustifiée », mais je te pisse à la raie.

San-A.

— Je vois que tu as suivi mes consignes au sujet de votre rapatriement !

Alors là, il emploie pas le langage adéquat, le taulard reconverti. Me voilà qui fulmine.

— Tes consignes ! T'as bien dit, tes consignes, fleur de mitard ? Non mais ça va pas la tête ? C'est la vie en Q.H.S. qui t'a filé de la moisissure au cervelet ? T'as des consignes à donner à un commissaire spécial, toi ? Hé, oh ! Sauveur, reste avec nous ! T'en va pas de la coiffe, grand ! T'as le bulbe qui se liquéfie ! Tes consignes, tu peux te les bourrer dans le fion ! Le jour où je suivrai les consignes d'un vieux ménesse comme toi, faudra m'attacher un bavoir autour du cou pour me faire manger ma soupe ! T'as de ces expressions, je te jure ! Faut être turc d'origine pour les risquer !

Là, il est emmerdavé, Kajapoul.

— Je voulais pas te désobliger, mec, il murmure. Les consignes en question, elles s'appliquaient à Maryse et comme tu... tu la chaperonnes...

Tu parles d'un chaperon ! Un chaperon rouge, lui. De sang !

Du coup ma rogne détale et c'est à mon tour de me sentir marri. Sauveur me résume ses activités. Après m'avoir quitté, il s'est fait conduire à la maison des Clay, à Gulfport. Une chose le tracassait.

— Quelle chose ?

— Une urne de marbre dans le bureau. Elle trônait sur une console. Une plaque de bronze était scellée au socle, indiquant « Irving Clay 1937-1989 ». Je l'avais entr'aperçue lors de notre descente là-bas. J'avais pigé qu'elle devait contenir les cendres du mort. Alors j'ai voulu en avoir le cœur net.

— C'est-à-dire ?

— Le Gitano se trimbalait depuis plus de vingt piges une balle dans le corps. Une bastos de 9 qui s'était logée dans sa colonne vertébrale. Les toubibs affirmaient que deux millimètres plus à gauche et Miguel avait droit à la petite voiture pour le restant de ses jours. Un miracle! Alors ils avaient préféré laisser la praline en place plutôt que d'aller bricoler au bistouri dans un secteur aussi dangereux.

— Compris, mec. Tu t'es dit que si c'était bien Miguel qu'on avait cramé à la place d'Irving, on devrait retrouver trace de cette balle dans les cendres?

Il sort son mouchoir, le déplie méticuleusement et me montre une espèce d'éclaboussure métallique.

— La voilà, fait-il. Elle a fondu dans le crématorium mais c'est bien la bastos du Gitano. La preuve est faite. Je ne voulais pas avoir d'arrière-pensée. Le téléphone trouvé chez la petite négresse m'a branché sur une station-service dirigée par Clay et ouverte jour et noye. Je suis allé bavarder avec le préposé de noye qui m'a refilé cette adresse et me voilà. Y a personne, tout est éclairé. J'entre et j'explore. Drôle de coin pour se planquer!

— Le Clay qui crèche ici n'est pas le bon, Sauveur.

Alors je lui résume le topo, ces abominables péripéties de la nuit avec la mort de Joan, celle du frère, la jambe cassée de Maryse. Là, je crains que le truand n'explose, qu'il me saute au palatot en me traitant de misérable.

Tout ce qu'il dit c'est:

— Tu vas me donner ta parole de flic que tu me le laisseras quand on aura remis la main dessus?

— Parole de flic!

— Elle a été courageuse, la Maryse?

— Impec: bonne race!

Il sourit.

— C'est ma fille!

— Avec une fille comme ça, t'as pas besoin de fils!

Tout ce rodéo vécu, et il est à peine quatre heures du

matin ! Ça s'est déroulé en accéléré, avec une sorte
d'étrange frénésie du sort. Y a des moments où la vie
s'emballe : elle échappe à son ronronnement quotidien
pour piquer un sprint. Et quand, à nouveau, elle
marque le pas, tu as l'impression d'être devenu différent. Pas vraiment quelqu'un d'autre, mais un être
modifié de l'intérieur.

— Tu sais où on va ? demande Sauveur quand je
mets le contact.

— Un peu. J'ai demandé au frangin l'adresse de
Joan avant qu'il ne lui téléphone selon mes indications.

— Et c'est où ?

— Une propriété sur la colline de Blue Mountain :
« Espirito Santo » ! Tu parles d'un saint esprit !

— Tu espères qu'il est retourné chez lui ?

— Oui. Il le lui fallait absolument. Avant de
prendre la tangente, il doit se munir de fric et de faux
papiers. Tu penses qu'un gars aux abois comme lui
avait dû tout préparer dans la perspective d'un coup
dur. Là, il est persuadé de disposer de plusieurs heures
de tranquillité pour agir, car il nous a abandonnés à
l'entrée d'une mine désaffectée, à cinquante ou
soixante *miles* de Fresno. Ta fille avait la jambe cassée
et nous étions sans véhicule. Dans son esprit, il bénéfi-
cie d'une marge importante. Te casse pas le chou,
Sauveur, nous le retrouverons. Ce mec, désormais, a
un handicap terrible : la mort de sa femme. C'était elle
qui le soutenait. Je l'ai vu agenouillé devant son
cadavre : il était fou de chagrin.

— Pas assez ! grince Sauveur. Pas assez !

L'Espirito Santo, faut aimer.

C'est le style bunker blanc, si tu vois. Des formes
géométriques sur une pelouse qui, il n'y a pas si
naguère, devait ressembler à un terrain vague. Quel-

ques arbrisseaux dont le climat d'ici activera la crois-
sance mais qui, pour l'instant, ressemblent à des
rayons de vélo. Un grand garage près de la grille
cernant le tout. On comprend que la construction est
récente et les plâtres pas complètement secs. Je gage
que Clay a acheté le terrain et fait bâtir la maison au
nom de sa compagne. Maintenant qu'elle est zinguée,
la Joan, il est dans l'obligation de vider les lieux,
n'importe l'identité dont il s'affuble. Ça et la chasse à
mort qu'a déclenchée le fameux Cartel Noir, ça lui fait
deux bonnes raisons de boire Contrex et d'aller se
cacher au fin fond des enfers.

Le portail est grand ouvert, le garage de même.
J'aperçois dans celui-ci la fourgonnette ayant servi à
nous transporter jusqu'à la mine. Par contre, il
manque la Porsche. Il doit être pressé d'absorber de la
distance, le salaud! Il n'a pas fait long pour rentrer *at
home*, se préparer une valdingue de fringues et d'artiche et tailler la route. Feu aux noix! Quelque part, ça
crame dans le destin de monsieur. Il vit ses heures
noires. N'a même pas le petit contentement de m'avoir
mis en pièces avant de filer. J'explique à Sauveur qu'il
est parti au volant d'une Porsche.

— Il doit tricoter du ruban comme un perdu,
conclus-je. Et nous, bons cons, on ne va pas se lancer
au hasard sur les routes à la recherche d'une Porsche
blanche décapotable.

— Tu crois qu'il en existe tellement? demande Sauveur.

— Sûrement plus que tu crois, en Californie surtout. En tout cas, des routes, ça oui, il y en a à
profusion. Tu veux toutes les faire, toi?

Mais Sauveur ressemble à un totem africain taillé
dans un tronc d'arbre. Il est figé, le masque déformé
par l'intensité de ses réflexions.

— Faut gamberger, murmure-t-il.

— Vas-y, je t'attends là !

— Ce soir, le gars était dans cette taule avec sa rombière, bien peinard. Il dormait, probable. Le frangin les réveille et déclenche l'alarme. Ils foncent chez lui en prenant leurs précautions, c'est-à-dire deux bagnoles. La femme va aux nouvelles, lui reste en couverture. Ensuite, bon, vous surgissez. Ils vous baisent avec sa saloperie asphyxiante et vous emportent à la mine abandonnée pour vous y faire parler et vous régler votre compte...

— Pas la peine de me faire un résumé, Sauveur, j'ai vu le film !

Mais il poursuivit pourtant, parce que c'est un besogneux de la pensarde, un mec plus à son aise avec un Colt en pogne qu'avec une situation à analyser.

— Y a retournement de la conjoncture, repart Sauveur. Pendant qu'il brise la guitare de ma gosse, le frelot et toi vous nettoyez sa polka. Irving se pointe fissa, trouve sa gerce clamsée, tue son frère félon (tiens drôle de mot dans la bouche d'un truand, on voit que c'est moi qui le fais causer !) et pique sa crise de désespoir. Toi, scout de France toujours prêt, tu profites de l'occase pour le neutraliser. Et tu fonces au secours de Maryse. Mais ce salopard est moins k.-o. que tu l'as cru. Il récupère pendant ton absence et décide de filer. Il réalise qu'il a du temps devant lui avant que le patacaisse éclate, mais pas tellement. Dans son cas, chaque minute compte. Il retourne à Fresno, vient ramasser un max d'osier dans cette turne, prend la tire la plus galopante et se casse.

— Bien concentré, mec. Tu ferais un malheur chez mon éditeur pour y rédiger des fiches de lecture ; notre valeureuse directrice te ferait un pont d'or.

Il dit, comme on récite un texte appris par cœur :

— Je me mets dans sa peau. Sa combine vient de s'écroulaga. La gonzesse pour laquelle il s'en ressent est viande froide. Dans quelques heures l'histoire va faire un cri dans tout les States. Son organisation va avoir des doutes, envoyer du trèpe aux chausses du Miguel de La Roca dont il porte le blaze. les Fédés de même. Tu parles d'un hallali, mon neveu! Comment on peut espérer se foutre au sec dans un cas semblable?

— Je te le demande, à toi qui fus orfèvre? laissé-je tomber.

— Passer la frontière, assure Kajapoul.

— Laquelle?

— La plus proche!

— Mexique?

— D'accord: Mexique.

Il me montre la guinde.

— On y va?

— T'as vu cette caisse, Kajapoul? Tu crois que ces deux tonnes de ferraille vont rattraper une Porsche possédant plus de trois heures d'avance sur elles?

Il tape du pied.

— Je t'oblige pas à venir, flic. Si tu n'as pas envie, je prends la Nissan dans le garage et j'y vais. Si je ne rejoins pas le gusman avant la frontière, je le rejoindrai après! J'ai tout ce qui me reste à vivre pour le serrer. Ce fumier, pour tout te dire, il est devenu ma raison d'être. J'ai peur qu'il ait un accident avant que je le retrouve!

Sa haine est implacable, intimidante comme une œuvre d'art réussie.

— Y a pas que l'autoroute pour gagner le Mexique. N'oublie pas qu'on a affaire à un homme diabolique.

— Un homme diabolique qui a la mort au cul, Antoine! Son seul objectif c'est de faire vite.

Il me vient une idée géante, comme dit mon pote Durieux.

— Sauveur, murmuré-je, t'as de l'artiche à investir?

Surpris, il sourcille.

— Bédame ! Tu crois que je me suis embarqué dans cette croisade sans vaisselle de fouille ?

— Je veux dire, tu disposes d'un vrai pactole ?

— Cent mille dollars en fraîche, cent mille en traveller's, plus des cartes de crédit en si grand nombre qu'on pourrait jouer à la belote avec !

— Alors viens, je sais comment on va s'y prendre !

DU POSITIF

Le jour se levait sur Manhattan. Les trois hommes avaient le regard rougi par la veille. Des gobelets dont ils s'étaient servis pour boire le café puisé au distributeur de l'entrée s'empilaient dans la corbeille à papier. Un nuage de fumée que n'arrivait pas à dissiper l'aérateur, épaississait l'atmosphère de la pièce et donnait du flou aux gens et aux choses. Le blond avait déposé son veston sur le dossier de son siège, l'Arabe, lui, avait ôté ses chaussures car il souffrait de l'écrasement d'un orteil causé par la chute d'une mallette trop lourdement lestée.

Il y eut un ronflement discret ; l'homme râblé décrocha. On lui posa une brève question à laquelle il fit une brève réponse.

— Rien encore !

Son interlocuteur ajouta quelque chose de pas sympa. Il remit le combiné en place sur sa fourche.

— Le vieux ! annonça-t-il à ses compagnons. Il gueule depuis son lit ; facile !

L'Arabe décrocha un second téléphone pour appeler un bookmaker. Il n'avait pas encore songé à lui. Il éveilla l'homme qui l'injuria. Se fit connaître. Le book cessa de protester.

— Tom Limber, fit l'Arabe.

— Eh bien ?

— Le Cartel a besoin de lui im-mé-dia-te-ment !

— Je suis pas sa nourrice.

— Tu es son pote.

— Hé ! se défendit l'autre, flairant du faisandé, je le connais, c'est tout !

— Il a disparu et il nous le faut. On cherche dans quelle direction ?

Il ajouta avant que son interlocuteur prît la parole :

— Si tu as une bonne idée, Paul, tu peux te faire des couilles en platine ! On est dans une période de générosité.

— Je sais où habite sa mère, fit le book ; il aime bien sa mère…

— Tu penses qu'on a déjà fait le nécessaire de ce côté-là !

L'autre parut déçu.

— Tu n'ignores pas qu'il aimait assez les petits garçons ? Vous êtes allés chez Loli ? Elle a toujours des mômes portoricains premier choix pour les amateurs éclairés.

— On a également vu Loli.

— Et dans le quartier chinois ? Tom y a un bon copain qu'il a connu pendant la guerre au Vietnam.

— Tchan Li ? C'est fait.

Le book grommela ;

— Merde ! Si vous avez tout ratissé, allez voir à la Maison-Blanche, des fois qu'il se serait glissé sous le plumard du Président.

— Plaisante pas, Paul ! dit froidement l'Arabe. C'est grave.

— Je m'en doute, mais j'y peux rien.

— S'il te venait une idée, appelle au numéro que je vais te donner.

L'autre promit, nota le numéro et tenta de se rendormir.

Pendant ce dialogue, les deux compagnons de l'Arabe avaient écouté sans mot dire.

— J'ai toujours trouvé que Limber était un mec à idées, fit le blond ; il a sûrement mis au point une astuce.

Ils se turent, attendant des résultats, comme un état-major de crise attend d'être renseigné sur l'évolution d'événements fâcheux.

La porte s'ouvrit et le garçon négligé, porteur d'un blouson râpé et dont la maigre chevelure incolore était gominée à bloc, fit son apparition. La fraîcheur de l'aube s'accrochait à ses fringues fatiguées.

Ses compagnons qui le connaissaient surent qu'il était porteur de nouvelles positives. Son nez crochu palpitait et son regard de rapace avait une luisance de bon augure. Ils attendirent, sachant qu'il avait horreur qu'on le questionne.

L'arrivant se laissa tomber dans un fauteuil bas, faisant pendre ses bras de part et d'autre des accoudoirs.

— Dans la poche ! annonça-t-il.

— Il est loin ?

— A une dizaine de blocks d'ici alors qu'on le cherchait à l'autre bout du monde. Son genre, quoi ! Pour le chou, il craint personne.

L'Arabe demanda :

— Comment a-t-il goupillé son affaire ?

— Génial ! répondit l'homme au nez crochu.

Les boulettes de gomina perlant à ses mèches s'agitèrent. Il eut un rire silencieux. Il alla à une bouteille de Four Roses posée sur une table basse, prit un verre en cristal taillé et l'emplit à demi. Il buvait le bourbon comme si c'eût été de l'orgeat.

— Vous savez, le vieux Noir aveugle qui fait la manche à l'angle de la 43e Rue et de la Sixième Avenue ? Il a un chien blanc qui ressemble au clébard qu'on voyait sur les disques Fox Gramophone...

Les trois autres acquiescèrent.

— Depuis quelque temps, c'est Tom qui a pris sa place, assura l'autre. Il s'est fait noircir la peau, a mis une perruque et passé les fringues de l'aveugle. Si ça se trouve, vous lui avez fait l'aumône !

Ses compagnons restaient incrédules.

— Tu es dingue ! fit le blond. Où as-tu pris cette bourde ?

Le type au blouson lui décocha un regard mécontent.

— Je sais ce que je dis, Ducon. Limber a repris le fond de commerce du Noircicot. Mieux, même : il lui a également repris son appartement, lequel, entre nous soit dit, n'est pas mal du tout car le mendiant affurait un fric fou. Fallait y songer, non ? Il n'a pas seulement changé de vie, il a également changé de couleur.

— Et le vrai Noir ?

— Il l'a envoyé se prélasser en Louisiane ; sûr qu'il lui a refilé un sacré paquet de dollars pour le décider.

L'homme trapu demanda :

— Tu as su ça comment ?

Le gominé haussa les épaules.

— Le hasard, comme toujours. Un de mes indics a surpris une conversation entre deux Noirs, dont l'un vend du pop-corn juste en face de l'aveugle. Un copain à lui aurait dit, montrant le mendiant :

« — C'est plus le vieux Sammy ? »

« — Non, a répondu le marchand. Il a cédé sa place à un Blanc ; c'est la meilleure de Manhattan ! »

« Mon indic a tiqué et a flashé le nouvel aveugle au téléobjectif. »

Nez crochu sortit plusieurs photos de sa poche :

— Voilà l'homme ! Si vous ne reconnaissez pas Tom sous cette perruque, prenez une loupe !

Ils se jetèrent sur les clichés.

— O.K. ! fit le trapu, c'est bien lui.

Alors il prit le téléphone pour avertir l'homme aux cheveux blancs.

Ce dernier prenait sa douche quand sa ligne privée sonna. Il coupa les jets d'eau qui le cinglaient de toutes parts et décrocha l'appareil mural de sa salle de bains. Sans ses lunettes, il avait l'air d'un poisson aveugle. Il écouta l'information du trapu et sentit une allégresse gonfler sa poitrine. Décidément, il disposait d'une équipe bougrement performante. Avec ces garçons, les choses ne traînaient jamais.

— C'est parfait, complimenta le vieillard. Vous savez ce que vous allez faire, les gars ?

L'autre l'avait déjà deviné, mais il laissa le chef s'exprimer.

— Avant de me liquider ce fumier, vous l'emmenez dans un coin tranquille pour lui faire dire qui l'a prévenu que nous nous préparions à l'éliminer ; ça joue ?

Il eut un temps d'hésitation et ordonna :

— Avertissez-moi avant de le questionner, je tiens à être là.

En homme consciencieux, Tom Limber s'était rasé la tête afin que sa perruque blanche et crépue s'adaptât parfaitement. Il ne voulait pas prendre le risque qu'une de ses propres mèches de cheveux roux se mît à dépasser.

Butterfly, son chien, s'habituait mal à lui. Il avait beau le combler de caresses et de friandises, l'animal restait maussade et le « guidait » à contrecœur. Pendant qu'il mendiait, Butterfly restait couché, la truffe dans son cul, au lieu d'avoir cet air avenant qui tant séduisait les bonnes âmes charitables lorsqu'il faisait équipe avec le vieux Sammy.

Tom acheva de faire son lit. Le logement sentait le nègre. Il avait beau l'asperger de déodorants variés, l'odeur imprégnait tout l'appartement ; mais Limber s'y faisait et cette puissante senteur l'aidait à peaufiner son personnage. Elle était ardente, vivante. « Nous autres

Blancs, nous sentons la charogne, songeait-il, avec nos peaux couleur de décomposition. »

Quand il eut achevé de faire son lit, il porta dans l'évier le bol dans lequel il avait pris son café. Après quoi, il se saisit de sa chaise pliante, de l'écriteau diabolique qui avait assuré la fortune du vieux Sammy : « Il paraît que la vie est belle. Vous pouvez la voir, pas moi. »

Un pur chef-d'œuvre de psychologie.

— Viens, Butterfly !

Le chien restant lové sur sa couverture, Tom gronda :

— Mais viens donc, putain de merde ! ou je te fous un coup de pied dans le ventre !

Comme s'il avait compris la menace, l'animal se dressa et se dirigea, la queue basse, en direction de la porte. Sammy le tenait en laisse. Il avait chaussé son nez des classiques lunettes noires, coiffé le feutre cabossé qui lui tenait ensuite lieu de sébile.

Il ouvrit la porte et resta coi.

Ils se tenaient tous les quatre sur son palier, immobiles, ayant chacun un pistolet braqué sur lui.

— Salut, Tom, fit le trapu. T'as pas très bonne mine, ce matin.

Limber avait une arme sur lui, mais il comprit qu'il n'y avait rien à tenter.

— Salut, répondit-il. Je ne vous savais pas si matinaux.

La suite se passa dans une salle de culture physique privée située en sous-sol. Elle comportait des agrès, un cheval d'arçons, une barre fixe et toute une théorie d'haltères soigneusement alignées sur un tapis.

Lorsqu'ils entrèrent, le vieux s'y trouvait déjà, assis sur l'unique chaise de l'endroit.

Tom Limber le salua avec la déférence habituelle qu'on témoignait au personnage. L'homme aux cheveux blancs le regarda d'un œil glacé.

— Vous avez l'air fin, Tom, dit-il. L'on dirait un clown.

L'ambiance était étrange. Cela provenait de ce qu'il n'y avait rien de belliqueux dans la scène. Les hommes du Cartel Noir n'en voulaient pas à Limber. Ils étaient simplement heureux d'avoir pu lui mettre la main dessus dans les délais impartis. Que, se sachant condamné, il ait manigancé cette combine pour tenter d'échapper à son sort leur paraissait logique. De son côté, Tom éprouvait une immense résignation. Il avait trop souvent donné la mort pour ne pas accepter la sienne puisqu'elle était inéluctable. Il attendait calmement, sans que lui vienne l'idée d'implorer une quelconque clémence. Il appartenait à un milieu où l'on sait perdre. Il n'avait jamais éprouvé la moindre pitié pour ses victimes, et donc n'en espérait aucune pour lui-même.

— Tom, fit le vieux aux lunettes cerclées d'or, qui vous a prévenu ?

— Personne, répondit Limber. J'ai senti venir le coup tout seul.

— Soyez raisonnable, fit le boss. Vous n'avez donc pas envie que tout se passe le mieux du monde ?

Limber songea que son interlocuteur tenait absolument à savoir qui l'avait alerté. Le fait qu'il se fût déplacé pour conduire en personne cet interrogatoire, lui qui répugnait aux besognes subalternes, prouvait l'intérêt qu'il portait à la chose. Or, à cet instant crucial où il savait que son destin se bouclait, Tom Limber se dit que l'ultime luxe qui lui était permis consistait à faire chier ses tourmenteurs.

— Vous ne voudriez pas que j'invente n'importe quoi, objecta-t-il. Je vous le répète, ayant remarqué que le climat changeait en ce qui me concernait, j'en ai tiré des conclusions.

Le vieillard hocha la tête, sa paupière tombante recouvrait presque complètement son œil, l'obligeant à rejeter le buste en arrière pour pouvoir regarder ses vis-à-vis.

— C'est vous qui décidez, Tom, déclara-t-il d'un ton paisible.

Et il fit signe aux autres qu'il leur laissait l'initiative. D'un commun accord, ils se tournèrent vers le blond, puisque c'était lui, initialement, qui avait reçu l'ordre de « neutraliser » Tom Limber.

Le blond réfléchit un instant, puis dit à Tom:

— On va t'attacher par les pieds à cette barre fixe.

— O.K., Karl! répondit Limber.

— Après quoi, poursuivit Karl, on suspendra à tes bras la plus lourde des haltères.

— Dur, dur! fit Limber avec une grimace.

Il songea qu'il avait été con. En les découvrant sur son palier, tout à l'heure, il aurait dû tenter quelque chose qui les aurait contraints à défourailler. Criblé de balles, il n'aurait pas trop souffert, tandis que maintenant ça allait être sa fête!

Les quatre tortionnaires s'activèrent. Ils avaient les gestes précis des aides-bourreaux.

Un instant plus tard, Limber se trouvait suspendu, non par les pieds, mais par la pliure du genou, car il fallait laisser une marge entre ses mains et le sol pour pouvoir fixer l'haltère. Il avait l'impression affreuse d'un arrachement au niveau de son ventre. Le sang envahissait son cerveau. Tout devenait rouge et brûlant.

— Je vais crever, les gars! eut-il la force d'articuler.

Alors le vieux quitta son siège chromé pour venir se pencher sur son visage violacé.

— Et si on faisait un marché, Tom?

Maintenant c'était sa poitrine que Limber sentait se disloquer.

— Mon cul! haleta le supplicié. Avec vous... y a jamais... de marché!

— Supposez que je m'offre ce plaisir pour rendre

hommage à votre courage ? Vous savez que nous dispo-
sons d'une maison de repos où nous traitons certaines
personnes ? Dites-moi le nom de votre informateur et je
vous fais admettre dans ce centre.

— A vie ? demanda Tom.

— Tout au moins jusqu'à ce que vous ayez perdu le
souvenir de certains faits, ce qui est très possible car nos
docteurs y pratiquent des traitements miraculeux.

L'esprit embrumé par la souffrance, Tom balbutia :

— Pourquoi pas ?

Quelque chose, au fond de son entendement regim-
bait. « Ton goût de la vie l'emporte, Tom ! Tu te fais
baiser comme un plouc. » Il ne pouvait cependant pas
contourner cette ultime chance.

— C'est Irving Clay qui m'a affranchi.

— Vous mentez, Tom !

L'autre avait l'horrible impression que son corps se
déchirait. Ses muscles, sa chair, ses os distendus par la
charge énorme qu'on leur infligeait cédaient peu à peu à
cette traction formidable.   Ses poumons ne parvenaient
plus à fonctionner et la brume rouge emplissant sa tête
virait au noir. Pourtant, son cerveau continuait d'analyser la situation et de lui proposer des idées.

— Comment saurais-je qu'Irving faisait partie de la
charrette des condamnés s'il ne me l'avait pas dit ?
objecta Limber, dans une protestation désespérée.

Le raisonnement avait atteint son but. L'homme aux
cheveux blancs ne répondit pas. Il ôta ses lunettes afin de
les fourbir à l'aide de sa pochette de soie.

— Et qui a prévenu Irving ? insista-t-il.

— Je n'en sais rien. On était très liés. Une nuit, il m'a
appelé et m'a dit : « Tom, je viens d'être informé qu'ils
vont faire le ménage, au Cartel. Nous sommes sur la
liste, toi et moi ; le moment est venu de faire quelque
chose pour nous ! ». Et il a raccroché. Le lendemain, il
partait pour l'Europe. Je n'ai plus jamais eu de contact
avec lui.

Sur ces mots, proférés dans un suprême élan d'énergie, Limber perdit connaissance.

— Détachez-le ! ordonna le vieux.

Ils s'empressèrent. Quelques secondes plus tard, Tom gisait sur le sol du gymnase, le souffle haletant. Sa gueule de faux Noir était révulsée et l'on découvrait que la couleur avait été mal passée derrière les oreilles.

Le blond demanda au boss s'il comptait « réellement » l'expédier dans une maison de repos.

— De repos éternel, oui ! répondit cyniquement ce dernier.

Le type gominé s'en fut au lavabo et revint, tenant une serviette-éponge ruisselante d'eau qu'il appliqua charitablement sur le visage de Limber.

— Une vraie petite maman ! ironisa le trapu.

Nez-crochu haussa les épaules.

— Tu ne vas pas lui faire cadeau de sa mort ! fit-il avec un léger sourire.

Ils restèrent en cercle au-dessus de leur victime, guettant ses réactions. Au bout d'un instant, elle rouvrit les yeux, et des plaintes lamentables lui échappèrent.

— J'ai mal, geignit Limber. C'est comme si on m'avait déchiqueté...

— T'es un drôle de négro, dans ton genre, dit le blond. C'est vrai que tu es un peu pédoque, Tom ? Je me suis laissé dire que tu empafais des petits garçons, des *coloureds* légers, genre Portoricains.

Cette question fit comprendre à Tom que son destin était scellé. Bon, il avait fait son petit baroud d'honneur, maintenant il aspirait à crever le plus rapidement possible. L'intense douleur qui le fouaillait l'aiderait à subir son sort.

Le blond dégrafait le pantalon de Limber, puis le faisait glisser jusqu'à ses chevilles. Sous le vêtement rapiécé, Limber portait un délicat slip mauve à fines rayures vertes.

— Drôle de lingerie pour un clodo nègre! ricana l'Arabe.

Le blond arracha le sous-vêtement d'une secousse. Le sexe modeste de Limber était grisâtre: il ne s'était pas badigeonné de teinture jusque-là. Il avait des poils châtain clair qui accentuaient encore l'anachronisme.

— Tu dois avoir le fion grand comme une entrée de métro, Tommy! fit le blond.

Il dégaina son pistolet, écarta les fesses un peu flasques de Limber et enfonça brutalement le canon de l'arme dans son rectum.

— C'est bon? demanda-t-il avec un sourire sadique.

Limber ferma les yeux et attendit. Le blond pressa par trois fois la détente. Tom Limber n'eut qu'un léger soubresaut. Chose curieuse, ses yeux se rouvrirent et il mourut en fixant l'énorme plafonnier blanc de la salle.

Le blond retira son pistolet avec dégoût et s'en fût le nettoyer au lavabo. Les autres regardaient le vieux qui arpentait le local d'une démarche saccadée. Au bout d'un moment, son énervement surmonté, il se planta devant ses hommes.

— Clay nous a baisés avec son cancer, déclara-t-il. Tom avait joué une belle partition en reprenant la peau d'un mendiant noir du quartier, mais Irving, lui, a agi dans le haut de gamme! Il s'est rayé de l'état civil, ni plus ni moins. Garçons, il ne vous reste que vingt-quatre heures pour remettre la pendule de Clay à sa dernière heure.

Il sourit de son mot et ajouta:

— Je ne vous dis pas de chercher du côté de la femme, c'est l'abc du métier. En selle, mes gentils cow-boys, pour la chevauchée fantastique!

ET CE FUT LE QUATRIÈME MEURTRE

10

Elle me fait songer à Maryse. Pas à Maryse Kajapoul qu'un chirurgien est en train de brocher pour réparer sa guibolle martyrisée, mais à Maryse Bastié, la fameuse aviatrice qui traversa l'Atlantique, seule à bord de son zinc, en 36, et mourut connement (mais meurt-on intelligemment ?) dans un meeting aérien à Lyon. Même type de femme décidée, aux cheveux coupés court, au menton volontaire et dont « le regard n'a pas froid aux yeux ! » (dirait Béru).

Faut la voir, dans sa combinaison vert tilleul, driver son hélico. Césarine, tu veux parier qu'elle s'explique au karaté et t'aligne le gusman qui voudrait la chahuter de trop près ? Ce ne sont pas les demandeurs qui doivent manquer ! Sa frime, tu peux pas t'empêcher de faire tilt quand tu coltines au moins une livre et demie de bas morceaux entre les jambes.

Je suis installé sur le siège voisin du sien, ce qui me permet de la frimer de profil. Brune, avec une étrange mèche blanche, des taches de rousseur signées U.S.A., un petit pif ravissant, une bouche que t'aimerais voir à l'œuvre sur ton casque à trou, des yeux marron très clair, « ombragés » de longs cils, que disent mes collègues du tout-à-l'égout.

Seule chose contrariante pour moi : elle fume. Son clope se consume seulâbre dans le coin de sa bouche, mais ne lui fait pas fermer un œil comme c'est le cas habituellement.

Ma pomme, privé de dorme, moulu, énervé comme un pou de corps en vacances dans la culotte de Stéphanie de Monaco, malgré mes préoccupances, j'arrive pas à oublier ce que je serais capable de pratiquer comme voies de fait navigables sur cette fascinante personne.

Bien qu'étant d'un Q.I. légèrement inférieur à celui du protozoaire domestique, tu n'es pas sans avoir pigé que ma fameuse idée qui m'a fait crier *euréka* devant la villa clandestine des Clay, c'était d'affréter un hélico pour tenter de courser le fugitif.

Aux States, l'usage de ce mode locomotoire est très répandu ; nombre de particuliers possèdent leur propre appareil, quant aux compagnies privées, elles sont légions, dirait César.

On n'a eu aucune peine à dégauchir celle qui assure les besoins de Fresno. La gérante en est Mitress Simpson (nom fameux, grâce à la bite de feu le fugace roi Edouard VIII d'Angleterre). Elle n'a fait aucune difficulté pour accepter, moyennant finances confortables, l'étrange mission que nous projetions, à savoir de rattraper avant la frontière mexicaine un mec au volant d'une Porsche décapotable blanche. Histoire de la rassurer, je lui ai montré ma carte de police, mais il est clair qu'elle s'en tartinait le mont de Vénus. J'eusse été Al Capone en personne qu'elle aurait accepté le travail dès l'instant où, moi, j'acceptais ses conditions. On a décidé la stratégie suivante : survol de l'autoroute pour l'aller et si ça ne donne rien, on rebrousse chemin en longeant cette fois la route en corniche. Banco ! Nous sommes partis comme trois bons petits diables héliportés.

Elle vole à assez basse altitude, et le ruban qui se dévide à nos pieds se lit comme un album d'images. Elle a même mis une paire de jumelles à ma disposition, ce qui faciliterait l'identification de Clay si, par chance, on le repérait.

L'appareil est tout neuf. Pimpant. Blanc et orange, c'est très seyant. Il tourne rond (chose essentielle quand on est rotor). Mrs. Simpson y va plein gaz, sachant que notre mec a trois heures environ d'avance sur nous. Ce qui la rassure, c'est que sa vitesse à lui est limitée par la loi, alors que pas la nôtre. Selon le calcul de notre jolie pilotesse, s'il a pris l'autoroute, on devrait l'apercevoir d'ici quatre-vingt-dix minutes environ. Il n'empêche que je scrute dur pour le cas où Irving ne se serait pas élancé sur l'autoroute tout de suite. Derrière moi, Sauveur en fait autant. L'image de la haine, le vieux forban. Il n'en casse pas une broque et reste ramassé sur lui-même, le cou tendu, le regard coagulé, comme s'il était décidé à sauter de l'appareil dès que nous le retapisserons.

A un certain moment, je dérouille une volute de fumaga dans le lampion. La chérie s'en avise.

— La fumée du tabac vous gêne ? demande-t-elle.

— A peine, rétorqué-je ; seulement son goût.

Elle sourit.

— Alors vous ne risquez rien.

— Pas maintenant, fais-je, mais tout à l'heure, sûrement que si.

Elle pige pas.

— Comment ça ?

— Depuis l'instant où je vous ai vue, je pense au baiser que nous échangerons fatalement. Une bouche comme la vôtre et une langue comme la mienne sont fabuleusement complémentaires, j'espère que ça ne vous aura pas échappé ! Il est impossible que nous nous séparions sottement en se disant « *bye* ». Nous sommes des humains, Maryse, pas des robots parleurs.

— Je ne m'appelle pas Maryse !

— C'est vous qui le dites !

La voix sarcastique de Sauveur éclate dans mon dos :

— T'es un drôle de chargeur, poulet ! Et c'est pas la délicatesse qui t'étouffe ! Appeler cette polka Maryse, alors que ma gosseline est en train de se faire charcuter, c'est gracieux !

J'avais oublié qu'il a appris l'anglais en geôle, le Turc ! Ma bévue me malmène la thyroïde. Tu parles d'un galoup. Je comprends sa rogne, à beau-papa. Mais enfin, quoi, merde ! je ne suis pas fiancé à sa fille ! On peut prendre du bon temps avec une gerce sans se sentir happé par la chirie des convenances. Dis, faut pas qu'il s'envole, le taulard, qu'il chique à M. le comte dont le palefrenier a défloré la grande gourde !

— Ecoute, vieux crabe, je lui virgule, cette môme me fait penser à Maryse Bastié, l'aviatrice. Tu dois connaître, c'était de ton temps. Voilà pourquoi je lui ai refilé ce blaze. Ça, c'est le primo. Le deuxio, c'est que que si j'ai envie de tirer madame, c'est pas un métèque intégré comme toi qui m'en empêchera ! Si je ne me fais pas bien comprendre, dis-le, je te projetterai des diapos.

Mon coup de sang le fait regagner sa coquille. Pour lui prouver que ses états d'âme je me les mets là où d'autres s'introduisent des suppositoires, des thermomètres, voire des membranes flexibles, je reprends mon gringue avec Mrs. Simpson.

— Si j'avais un voyage de noces à faire, lui dis-je, je le ferais avec cet hélicoptère et vous le piloteriez ! Ainsi je n'aurais pas besoin d'amener une mariée avec moi.

— Vous ne seriez pas un foutu baratineur ? demande-t-elle en rigolant.

— Le bruit en court, mais il est faux, dis-je. Un baratineur est un type qui parle mais n'agit pas. Moi je parle et j'agis.

— Vous ne seriez pas un peu vantard, de surcroît ? demande Mrs. Simpson.

— Un vantard est un type qui se targue d'accomplir

des actes qu'en réalité il n'exécute pas. Moi je suis
capable de les perpétrer sans m'en vanter. Mais je pense
vous prouver d'ici peu la réalité de ce que j'avance. Vous
êtes mariée, j'espère ?

— Oui, pourquoi ?

— J'ai remarqué que les femmes mariées sont
souvent davantage disponibles que celles dites « libres ».
Des enfants ?

— Un garçon.

— Qui joue au base-ball ?

— Exactement.

— Votre époux travaille également dans les hélicos ?

— Non, il a une salle de sport.

— *Fitness*. Je vois. L'ennemi des ventres de P.-D.G.,
le masseur de ces dames qui prennent de la cellulite dans
des bureaux vitrés. Sa journée terminée, il est fourbu et
s'endort devant la télé pendant que vous faites le ménage. Un peu de récré ne vous fera pas de mal.

A l'arrière, Sauveur ronchonne :

— T'as une façon de pratiquer la chasse à l'homme,
toi ! La chasse aux miches, oui ! Tu tires plus vite que ta
bite, poulet !

— L'homme doit entretenir ses fonctions naturelles
pour rester performant, mon drôle. Pour moi, vois-tu, il
existe l'amour-cœur et l'amour-cul. Le premier est rare
et n'a rien de commun avec l'autre. Il fait de la musique,
il provoque les larmes ; le second n'est bruité que par le
jet (rotatif de préférence) du bidet.

Tout en jactant, j'inspecte l'interminable autoroute.
Ça fait bien une heure trente qu'on la survole.

— Nous devons approcher de la frontière, dis-je,
manière de changer de sujet.

— A chaque tour des pales, répond-elle avec enjoue-
ment.

— Vous avez le droit de survoler le territoire mexicain ?

— Et comment! A toutes fins utiles, j'ai déposé un plan de vol pour Mexicali. Pourquoi? Vous ne voulez plus qu'on rebrousse chemin et qu'on revienne par l'autre route, comme il a été dit?

— Je pense qu'auparavant, on devrait pousser encore un peu.

— Comme vous voudrez.

Je cesse de parler. La sonnerie d'alarme de mon instinct sur le qui-vive retentit dans ma tronche. J'ai le sentiment qu'on va obtenir satisfaction, que c'est imminent.

Mon guignol cigogne dans mes cerceaux. Cette oppression m'empêche respirer normalement. Je trémousse du fion sur mon siège.

— La frontière, droit devant! annonce Mrs. Simpson

On distingue un agglomérat de bagnoles qui « bouchonnent » devant l'étranglement des postes frontaliers.

Et c'est mon compagnon qui retapisse le premier! Pourtant, en taule, il a pas dû avoir tellement l'occasion d'aiguiser son acuité visuelle, non? A travers les barreaux, peut-être, quand il regardait le gonzier du mirador claper son casse-dalle.

— La-bas! fait-il. Tout à droite, à côté d'un camion rouge.

Je mate. Et, en effet, c'est bien une Porsche décapotable blanche avec une seule personne à bord. Je règle mes jumelles. Irving! Sans bavures. Il porte des lunettes de soleil et a coiffé une casquette à carreaux, mais je le reconnais formellement.

De joie, je me penche sur le siège du pilote et dépose un bisou à la bonne température dans son cou, pile à travers les petits poils follets de la nuque.

Elle glousse:

— Vous me chatouillez! Pendant le vol, il est interdit de donner des baisers au pilote.

— C'est rien à côté de ce qui t'attend, la mère, déclaré-je en français moderne.

Et, reprenant la phrase clé de Manolo de La Roca, j'ajoute :

— Tu sais que je suis capable de te brouter la chatte pendant deux heures avant de...

Sauveur s'emporte :

— Il est chiant avec sa bite, ce perdreau de merde ! Mais y a donc que la pointe, pour tézigue ? Penser à gloutonner cette pécore juste à l'intant où on retapisse notre homme, faut être obsédé de la membrane, bordel !

— T'es pas vraiment français, Kajapoul, tu ne peux pas comprendre. Chez nous, on a tous les défauts de la terre, plus un chibre de formule I, et c'est ça qui fait la différence.

— Alors ? demande Mrs. Simpson.

Bonne question, malgré sa briéveté. Elle a raison, la môme pilote. Alors ? On fait quoi ? Maintenant qu'il est là, sous nous, Irving, on ne va pas poser le coucou sur l'autoroute et cavaler sus au gredin ! Ce genre de rodéo n'est valable que dans les James Bond ou les séries télévisées en cent quarante épisodes.

— Continuez ! fais-je.

Car il ne s'agit pas de donner l'alerte au fugitif. Qu'un hélico survole un poste de douane ou contrôle le trafic routier, c'est bonnard ; mais si on appuie trop fort sur le crayon, la mine casse.

— Où dois-je aller ?

— Un peu plus loin. Réduisez l'allure au maximum, je vous ferai signe.

Sauveur déglutit. Il murmure :

— Je t'ai dit que chez Clay, j'ai engourdi l'un des feux planqués sous l'escadrin ? Je me suis offert le top comme qualité, du suédois ultra-performant, à répète, et j'ai quatre chargeurs en fouille. Si la gonzesse nous descend au ras des pâquerettes, je te dessoude cette carne recta, tu paries ?

Je grogne :

— Dis-moi, Sauveur, à part être très con, qu'est-ce que tu fais dans la vie ? T'as la prétention de vouloir rectifier le brigand avec la complicité de cette jolie dame ? Zinguer un mec qui drive une Porsche sur une autoroute à gros trafic, c'est provoquer de la marmelade de viande à coup sûr. T'aimes à ce point le steack tartare ? La rancune t'égare, mon grand, ou alors tu glisses sans t'en rendre compte dans les gâtouilles du crépuscule !

Il éclate :

— Ta gueule, flic de mes deux. Ce mec, je serais capable de refaire Hiroshima pour être certain de ne pas le rater.

— Tu peux sûrement le sulfater sans provoquer la mort de cent cinquante mille personnes.

— Tu vois une meilleure solution, toi ?

— Pas encore, mais je sens que je brûle.

La petite Simpson demande :

— Je vais jusqu'où ?

— Encore deux minutes, ensuite vous ferez demi-tour ; vous prendrez un peu plus d'altitude et survolerez l'autre voie.

D'une docilité, Ernestine, qui force l'admiration (ou la demi-ration). M'exécute la manœuvre impec. On rebrousse. La jumelle dardée, je guigne la Porsche. La voilà, là-bas, qui radine. Depuis qu'il est en terre mexicaine, il se permet de forcer l'allure, Irving. Pour l'instant, tout va bien : on le garde dans notre collimateur.

— On retourne sur les U.S.A. ? demande Brigitte.

Ne sois pas surpris : elle m'a dit son prénom pendant que tu es allé te servir un scotch.

— Non, vous décrivez un très grand tour afin de dépasser le type de plusieurs kilomètres, et puis on revient face à lui.

— Hmm, hmmm !

Sauveur produit un bruit de cochon patouillant dans

son auge. L'impatience qui lui fait ça. Les mecs comme lui, quand la fureur les prend, deviennent des sortes de fauves.

— On finasse! On finasse trop! gronde-t-il. Tu vas voir qu'il va enquiller une dérivation quelconque et se faire la malle dans la nature. T'as vu comme c'est bâti, tout le long de l'océan? Sitôt quittée l'autoroute, il plongera dans tous ces buildings et nous fera marron.

Je me dis qu'il n'a pas tort. Qu'en effet, c'est un risque, un gros risque.

— Bon, on retourne en survol! enjoins-je.

A nouveau on retrouve l'asphalte à quatre voies. On déferle au-dessus. Zob! Plus de Porsche blanche. J'en ai les claouis qui se ratatinent.

— Ah! bordel d'enviandé de poulet! éructe Kaja-poul. Dans le cul! Il aura pris peur en revoyant le zinc. Il...

— Ta gueule! Regarde à la station d'essence, à l'en-trée du parking! Il est à l'arrêt, Irving, faisant la queue derrière d'autres voitures pour remplir son réservoir.

En un éclair, je lis dans les jumelles qu'il ne peut pas déboîter. Il s'est engagé dans une travée. Il y a trois tires avant la sienne et déjà deux autres derrière.

— Brigitte! fais-je. Il faut que vous vous posiez en catastrophe derrière le motel; j'espère que votre zinzin ne va pas déclencher un cataclysme.

— Le bruit de l'autoroute couvrira le nôtre, promet-elle, vous allez voir.

Elle a tout compris, cette gentille! Décrit une orbe en réduisant l'altitude. Derrière le motel jouxtant la sta-tion, s'étend un immense parking dont toute la partie du fond est absolument dégagée. Elle s'y pose en douceur.

— Attendez-nous ici, ma chérie, le temps d'aller acheter le journal et on revient.

On se déceinture et c'est la course jusqu'à l'angle du motel. Après quoi, on se biche une allure dégagée pour se pointer à la station.

De loin, nous nous rendons compte que ça va être le tour d'Irving de faire le plein, l'automobiliste qui le précède est en train de douiller avec sa carte de crédit.

— Sauveur, murmuré-je, tu devrais me passer ton feu car je ne suis pas chargé.

Il répond :

— T'avais qu'à te servir ; pas question que je me découvre !

— Surtout pas de fausse manœuvre, soupiré-je. Tu sais que ce mec, c'est de la nitroglycérine. Aux abois et armé comme il doit l'être, la plus légère erreur peut nous être fatale. D'autant qu'il emploie des gadgets vice-loques, comme le pistolet à gaz avec lequel il nous a neutralisés à Fresno.

— Je sais tout ça, flic. N'aies aucune inquiétude, je ne lui laisserai pas sa chance.

— Tu ne vas pas le repasser en pleine station ?

— T'inquiète pas.

Il interpelle un pompiste basané qui s'affaire. Lui tend un bifton de cinq dollars et, sans lui dire un mot, s'empare de sa casquette dont il se coiffe. Bol ! Elle lui va.

Le bec verseur est engagé dans le réservoir de la Porsche. Irving attend, assis à son volant, le bras droit allongé sur le dossier du siège passager. Sauveur s'avance par-derrière, en sifflotant. Faut un foutu sang-froid pour trouver un air à interpréter dans un pareil instant de tension. Je crois bien qu'il siffle *La Vie en rose*. De circonstance, non ?

Voilà, il a atteint le coffre de la voiture, fait encore un pas. Seulement, les reptiles, mon vieux, tu ne peux pas les surprendre. Ils possèdent un sixième sens qui les avertit d'un danger. Et quand le sixième sens ne suffit pas, ils font appel à un septième.

Clay se retourne brusquement. Peut-être a-t-il aperçu la silhouette de Kajapoul dans son rétro ?

Ce qui sauve tout pour le Turc, c'est la gapette dont il a eu l'idée (apparemment saugrenue) de s'attifer. Pendant une fraction de seconde, elle rassure le fugitif. La fraction de seconde indispensable à Sauveur. Il lève son flingue par le canon et abat la crosse à toute volée dans la gueule d'Irving. Ça produit un craquement si fort que, malgré le brouhaha du trafic, je l'entends, bien que je me tienne à quatre mètres d'eux. Irving, fauché, tombe à la renverse.

— Tu viens? me lance calmement le Turc.

Ça a été si rapidement accompli, avec une telle détermination, que seul l'automobiliste qui attendait son tour a vu la scène. Je brandis ma carte devant son pare-brise, rapidos, juste qu'il puisse apercevoir l'essentiel, c'est-à-dire le mot « Police », manière de lui calmer les tourments.

Bien que le réservoir ne soit pas encore rempli, j'ôte le bec, le raccroche à la pompe et tends un talbin au Noir qui a « vendu » sa gapette à Sauveur. Il me rend la mornifle. Ce petit manège achevé, je trouve Sauveur installé à la place passager, tenant Irving serré contre lui.

— Conduis! me lance-t-il. Nous deux, regarde comme on s'aime.

Bon, c'est lui qui commande à présent. Soit! Je prends place derrière le volant et c'est la belle, l'exaltante envolée.

— Tu sortiras par la première bretelle de dégagement, flic! Ensuite, direction montagne. Faudra trouver un coinceteau idyllique.

— La môme nous attend avec son coucou.

— Elle a qu'à se branler!

Dis, il est rogneux mon coéquipier; la victoire ne l'a pas calmé.

Tout en drivant, je glisse un regard à Irving, coincé entre nous.

— Tu l'as buté! dis-je.

— Penses-tu, il a du pouls.

Malgré que notre posture ne s'y prête guère, Kajapoul explore les vêtements de sa victime. Il en retire un Colt Cobra, un stylet dans une gaine lacée à son avant-bras gauche, un pistolet extra-plat, fixé à sa cheville avec du sparadrap, une boîte chromée contenant des ampoules et une quantité folle de liasses de mille dollars. Sauveur les enfouille sans vergogne.

— Je t'en propose pas, dit-il ; un flic honnête comme toi, tu me traînerais aux assiettes pour corruption de fonctionnaire. Voilà qui va me rembourser la croisière. Quand on aura trouvé un endroit pépère, je me livrerai à la toute grande inspection : je prévois du caillou dans une doublure de ses hardes ou le talon de ses pompes, c'est le genre de gonzier capable de transporter l'équivalent du budget des Etats-Unis sous un volume qui tient dans la main !

Voici la sortie pour Santa Puta. Je l'adopte.

Avant le péage, Sauveur enfonce sa casquette Shell sur la tronche un tantisoit défoncée d'Irving Clay.

11

Les villas « Sam'Suffit » n'en finissent pas de s'éta-
ger sur la chaîne côtière. Vacances, vacances! *Urbani-
sación*! Les plus importantes comportent une espèce
de trou bleu appelé piscine. Les fleurs abondent. C'est
la richesse des pays pauvres. Nous, ce qu'on souhaite-
rait, c'est juste un peu de solitude, un endroit escarpé,
ou du moins, discret, pour pouvoir s'occuper « sérieusement » d'Irving Clay. Et tout en le cherchant, ce
coin de rêve, je philosophe dans ma tronche, pour moi
tout seul. Je me dis qu'on s'est remué le dargif comme
des fous pour mettre la main sur ce vilain. On a risqué
la mort, dépensé un blé fou, et maintenant qu'on le
tient, maintenant qu'il est là, coincé entre nous dans la
Porsche, un sombre désenchantement m'envahit. La
vengeance, je vais te dire, elle n'est bonne à exercer
que pour les êtres primaires, les obtus, les mecs bas de
plafard et mœlleux du bulbe. Quand t'as du chou et du
cœur, il t'apparaît rapidos que c'est une illuse, un
piège à cons. Quelque chose d'âcre et de honteux.
   Je m'entends murmurer:
   — Sauveur...
   — Présent!
   — T'as vraiment l'intention d'occire ce mec?

Un temps. Il questionne, incrédule :

— T'es sérieux ou il s'agit d'une devinette ?

— Ça a beau être de la crème de pourriture, si tu le sulfates, ce sera un assassinat. Tu connais la définition du mot assassinat ? Meurtre avec préméditation ou par guet-apens.

— En vertu de quoi quand je l'aurai réctifié, tu m'arrêteras ? ricane Kajapoul.

— Déconne pas, Sauveur. Je te fais une propose alléchante, monsieur l'homme : on le porte aux draupers d'ici. On leur balance toute l'histoire. La mort savante de Miguel, la mort atroce de Maureen, celle, sauvage, de son frangin, la jambe délibérément brisée de Maryse. Rien qu'avec ça, il est assuré de la chambre à gaz ; sans tenir compte du formidable rouge qu'il doit traîner. Ce sera pour lui une fin autrement jouissive que celle que tu vas lui voter en lui cloquant une bastos dans le chignon, mon fils. Ça traînera, y aura des sursis, des atermoiements : ira, ira pas ? Et pour finir, il connaîtra sa dernière noye dans un pénitencier, à bouffer de la langouste devant ses gardiens gênés. Tu vas pas te priver de ça, grand ? L'impulsion, c'est trop bref, ça ne rassasie pas. Tu resteras sur ta faim. Devant son cadavre, tu te sentiras tout frustré, cocu comme dirait. Sa mort ne t'apportera aucune réelle satisfaction, tu seras obligé de te chatouiller pour qu'elle te fasse rire. En outre, n'oublie pas qu'il a le Cartel Noir sur les endosses. Quand ces messieurs vont apprendre qu'il les a niqués, eux, oui, fomenteront des représailles extra-vicieuses pour le faire payer. Des trucs que nos imaginations européennes ne nous permettent pas de concevoir, d'autant qu'il aura balancé ses ex-potes pour amadouer les juges.

Je me tais.

Le silence qui succède est toujours de moi (et pas du tout de Mozart).

— C'est tout ? demande Sauveur au bout d'un temps confortable.

Je réponds par un soupir lamentable. Tête de pioche ! Tous les malfrats, quelque part, ont des tronches en bronze. Tu parles à des murs quand tu leur tiens le langage de la raison.

Maintenant, les constructions cessent. Une route de crête sinueuse grimpe à l'assaut de la montagnette. La végétation cesse d'être fleurie. On va vers les épineux, les cactacées (ou cactées) dont le Mexique est le pays d'origine. Chaque buisson semble avoir fourni la couronne du Christ.

— Ça devient pépère, grommelle le Turc, plein d'espoir.

Le sol a des couleurs de paillasson. On parvient au sommet et c'est très *very* beaucoup bioutifoul : d'un côté t'as le Pacifique qui miroite au loin, d'un autre les maisons blanches dévalant la vallée verte, laquelle va se perdre dans la rigueur du désert du Colorado. Mais le panorama, Sauveur, il t'en fait cadeau. Pas un poète !

— Ralentis ! ordonne-t-il.

J'obtempère, docile.

Il me désigne une sente pelée, à main droite.

— Essaie voir ce chemin, flic !

— On risque d'avoir des problos : une Porsche n'est pas une Range Rover.

— Tant que c'est carrossable, pleure pas !

Vachement enchiffrogné, mon coéquipier ! L'air d'un qui couve la grippe et à qui l'Aspirine ne fait que tchi.

Pour lui être agréable, je m'engage dans le sentier. Au bout de quelques centaines de mètres, il redescend et plonge dans une sorte de défilé rocheux qui va s'élargissant. Cul-de-sac ! Il s'agit d'une ancienne carrière. Voilà qui fait pendant à la mine désaffectée où nous conduisit Irving Clay.

— Un vrai velours! jubile Sauveur. J'osais pas espérer ça!

Un busard s'envole d'un arbousier. Son vol pâteux fait un bruit de battoir à linge.

A cet instant, un bruit de moteur concasse le silence de la nature désertée, brûlante sous le soleil. Nous levons le nez et voyons surviendre l'hélico blanc et orange de la mère Simpson. Penchée hors de son cockpit, elle nous adresse des signes de la main.

— Tu parles d'une chieuse! gronde Sauveur. Pas étonnant qu'elle nous course. Avec toutes les voluptés que tu lui as promises, elle veut son coup de pine, la sœur!

Effectivement, l'hélico décrit des tours au-dessus de nous et commence à descendre. Comme le défilé où nous sommes est encombré de roches, Brigitte se pose sur le terrain précédant la gorge.

— Va la calcer pendant que je m'occupe de cézigue, ordonne Sauveur, ça la fera tenir tranquille.

Je lui mets la main sur l'épaule.

— Ecoute, mec. Réfléchis. On n'est pas dans la forêt amazonienne, mais à la frontière américano-mexicaine. Si tu butes un zig à deux pas d'une citoyenne U.S., tu penses bien que, langue fourrée ou non, elle témoignera. Et alors tu te feras arquepincer par les fédés, sinon par les flics mexicains; avec le passé que tu te respires et qui ressemble à un trou de latrines, tu ne reverras Paris que sur les cartes postales que ta fille t'enverra. Tu sais, Sauveur, quand tu m'as demandé de venir en Amérique pour tâcher de retrouver le Gitano, j'ai accepté. Moi, le poulet prôné, paré de toutes les gloires, j'ai pas renâclé pour faire équipe avec un ancien truand. Alors, avant que tu agisses, je te dis, les yeux dans les yeux, que c'est pas correct. Tu m'enviandes, mec, car je serai accusé de complicité. Afin de venger un pote, tu brises la vie

d'un autre. Je suis devenu ton ami au cours de cette
équipée et tu le sais. Non seulement tu saccages ma
vie, mais tu cisailles celle de ta gosse, déjà traumatisée
par la mort de sa mère. Un homme, Sauveur, un vrai,
c'est pas seulement un type qui a assez de couilles pour
presser sur une détente, c'est surtout un gars capable
de faire passer son devoir avant ses pulsions. T'as
raison, je vais brouter la chatte de la jolie hélicop-
teuse ; bonne bourre à toi aussi, chacun prend son
panard comme il l'entend.

Et je file vers l'entrée du défilé où s'inscrit la
gracieuse silhouette de Brigitte. Elle agite ses bras.

— Hello !

C'est ça, ma poule : hello, hello ! Gare à tes miches !

Je sais, on me l'a déjà seriné dans bien des langues et
sur tous les tons : faut la santé. Faire l'amour à une
nana dans de pareilles conditions, comme dit Béru :
« A part moi, y a que moi ! ».

Et lui aussi, bien entendu !

— Vous êtes un vilain, vous m'aviez promis de
revenir. Heureusement, comme je suis curieuse, je
vous avais suivis de loin. Alors quand j'ai vu que vous
vous tiriez comme des malpropres, je suis retournée à
mon appareil et je vous ai filés à distance. Cette
Porsche blanche, je me la rappellerai.

« Est-ce bien nécessaire ? » me dis-je dans ma Ford
intérieure.

Elle désigne la voiture, au fond du cul-de-sac rocheux.

— Pourquoi avez-vous amené cet homme ici ? Vous
voulez le tuer ? comme ça, elle demande, sans s'émouvoir.

— Seulement le questionner, *darling*. Vous n'auriez
pas dû nous filer, cela va vous valoir des tracasseries
avec les autorités qui, fatalement, requerront votre
témoignage.

Elle hausse les épaules.

— Pourquoi témoigner, si vous ne le tuez pas?

La logique féminine!

Je la prends dans mes bras. Pour commencer une superbe pelle à grand spectacle. Y a que les gus qui ont joué dans le *Grand Bleu* pour battre mon record.

Des yeux, je cherche un coin propice. Il y a un chouette buisson en encorbellement, à l'écart, mais la végétation est si rêche, si piquante...

Elle a suivi mon regard et, partant, ma pensée.

— Attendez, j'ai une couverture dans mon zinc.

Pratiques, ces Ricaines. Et pas bégueules! Avec elles, tu peux annoncer la couleur sans te perdre en simagrées.

La caroube est épaisse, gansée de cuir. Nous l'étalons (j'en suis un autre, merci) à l'endroit jugé propice à l'accomplissement de nos pressants besoins. Malgré moi, je tends l'oreille, redoutant une (ou plusieurs) détonation (s). Elle s'allonge avec un soupir d'aise, les bras croisés sous la tête en guise d'oreiller.

A toi de jouer, bonhomme.

Notre succès, nous autres, Franchouilles, vient de la savante lenteur que nous mettons dans nos transports. En amour, bâcler n'est pas limer, retiens bien ce bel adage, fiston. Alors, c'est la passe de cape des baisers brûlants, profonds, passionnés, sur la bouche, œuf corse, mais également sur les oreilles, *very important,* les cages à miel, et la nuque, donc! Tu passes, repasses, recommences tout au départ. Faut que médème se mette à faire des vagues, des roucoulades. Alors, sans cesser le baiser, voilà la paluche qui entre en action. Pourtoure savamment les roberts de la belle. Le droit, le gauche: pas de jalmince! Sa combine d'hélicoptrice? Fermeture Eclair. Alors tirette. Voilà qui dégage. Tiens, elle est tellement sûre d'elle qu'elle ne met pas de monte-charge. Les lo-

loches bondissent! Ah! les petits fauves intrépides!
Toujours ça de gagné. De la main bien à plat, je frotte
les embouts. La paume, seulement, tu piges? Comme
ça, tu vois? Regarde! Léger massage giratoire. Au
moins cinquante tours chacun. Et tu lui dégustes toujours la menteuse. Ensuite...

— Flic! Hé! flic!

La voix de stentor de Sauveur, amplifiée par la
conque rocheuse de la carrière.

— Je vous demande pardon, fais-je à ma belle
giravionneuse. Ne touchez à rien, je reviens de suite.

Je retourne au défilé. J'aperçois Irving Clay allongé
au sol, debout devant lui se tient Kajapoul, les jambes
écartées, les mains aux hanches dans une attitude de
conquistador. Il m'attend, lourd, puissant.

Je presse le pas malgré mon reste de tricotin. De
loin, je constate que Clay est toujours en vie : mieux, il
a repris connaissance. Par sécurité, bien que l'homme
soit en piteux état, Sauveur lui a lié les poignets très
serré. C'est pas un garçonnet, Kajapoul. Il balise le
terrain avant de sortir son goûter, pas que les fourmis
rouges viennent lui bouffer sa tartine.

— Qu'est-ce qui se passe? je demande.

Sauveur me désigne Irving.

— Il raconte des drôles de vannes; je voulais l'avis
d'un technicien.

Je m'assieds sur un rocher auprès de l'homme. Il a la
gueule tuméfiée, tordue étrangement par le formidable coup de crosse que lui a administré Kajapoul. Le
réel désespoir que lui cause la mort de sa compagne se
lit dans ses yeux. Ou plutôt... Non, attends, c'est autre
chose que du chagrin, plutôt une mornitude totale,
comme si tout lui était devenu absolument indifférent :
la vie, la mort; la sienne et celle des autres. *Plus rien
ne compte.* Il est comme désert. Voilà, je cerne la
vérité d'un peu plus près : désert. En lui, y a que de
l'infini, du blanc, du vide.

— J'ai idée que ton coup de goumi lui a fait péter pas mal de boulons dans la boîte à idées, constaté-je.

— C'est aussi mon avis, fait Sauveur. Quand j'ai commencé à l'entreprendre, j'ai tout de suite compris qu'il roulait sur la jante. Je me suis dit que c'était peut-être une tactique, qu'il mijotait une arnaque à sa façon, histoire de gagner du temps, et qu'il allait me biter, ou du moins essayer mais, franchement, je pense que sa matière grise commence à lui dégouliner par les naseaux.

— Tu l'as bien fouillé?

— Complet, jusqu'à l'oigne. Il ne placarde plus rien, certifie Kajapoul.

Rassuré, je me penche sur le gars :

— Vous m'entendez, Clay ?

Il opine de la tête.

— Vous savez qui nous sommes ?

Nouvel acquiescement muet.

— En ce cas, dites-le ! Qui sommes-nous, Clay ?

— Des Français.

Sa voix est totalement morte, sans timbre ni inflexions. J'imagine que si un poisson pouvait parler, il aurait cette voix-là.

— Des Français, oui, mais pouvez-vous préciser ?

Il désigne Sauveur du menton.

— Lui, il fait du trafic de voitures volées à Paris. Voitures de luxe. Vous, vous êtes policier.

Il m'est arrivé d'écouter une bande sonore sur un magnéto aux piles déchargées : ça donnait à peu près ce sirop de paroles, ce débit étiré comme du nougat de fête foraine.

Il a une frite plus regardable, Irving. Le gnon de mon pote bandit a dû lui briser la pommette et lui défoncer encore d'autres os de la tronche ; la partie gauche de celle-ci a au moins doublé de volume et tous ses traits s'en trouvent déformés. Il a « le visage sur le côté », si tu vois où je veux en venir. L'œil tuméfié, rouge de sang, est oblique. Un type avarié fait vite monstre. Il me le répétait sans trêve, le cher Albert Cohen : « La plus belle fille du monde, s'il lui manque deux dents de devant, cesse de t'intéresser. » La bouche aussi est de traviole. Le coup de crosse du Turc, dans le genre dévastateur, on ne trouve pas pire. Il y a mis tout son jus, le frère ! Toute sa haine ! Ça, ça s'appelle ravager la gueule d'un forban. Maintenant il est en déliquescence, Clay ; sur les rives de la gâtouillette. Son esprit aussi est de guingois.

Il dit :

— Croyez-vous que Dieu me pardonnera mes fautes ? Je suis un misérable pêcheur, si vous saviez. Le plus abject parmi les pires ! La lie de la société. Sa purulence.

Allons bon, voilà autre chose : la confession publique maintenant !

Sauveur murmure :

— Tu vois ? Je t'ai dit qu'il déraillait.

Lancé, Irving continue :

— Je suis de Pittsburgh, en Pennsylvanie, l'un des plus gros centres sidérurgiques du monde. Mon père était pasteur. Ma mère est morte en me donnant la vie, ça a été ma première victime. J'ai été élevé distraitement par le pasteur, aidé de sa sœur, une vieille toquée plus confite que lui en dévotion. Très tôt, je me suis montré un garnement impossible. A huit ans je volais des denrées dans les magasins, à douze c'était des voitures, à quinze je braquais des caissiers.

« Lorsque j'avais maille à partir avec la police, mon père me faisait des sermons. Il a beaucoup prié pour moi, pour que je « revienne dans le sein du Seigneur », répétait-il.

« On m'a collé dans une maison de redressement

jusqu'à ma majorité. Là-bas, j'ai fait la connaissance de Giuseppe Sandrini, un petit Sicilien fraîchement émigré qui allait devenir l'un des rois du grand banditisme et qui l'est demeuré jusqu'au jour où je lui ai vidé un chargeur dans le ventre pour prendre sa place.

« J'étais installé sur la côte Est et j'y ai fait des affaires juteuses, et puis j'ai compris que les temps étaient changés. Les chefs de bande devenaient des artisans que les grandes organisations allaient écraser. L'époque Al Capone, Dillinger et consorts appartenait à l'Histoire. Le Crime, comme les industries, abordait l'ère des multinationales. J'ai opéré une conversion en douceur et suis entré au Cartel Noir. Je ne sais si vous connaissez ce consortium ? »

— J'en ai entendu parler.

— C'est une espèce d'association toute-puissante, avec des implications politiques, voire militaires. La police est à sa botte. Elle exerce un pouvoir comparable à celui qu'avait en Angleterre l'Intelligence Service avant la dernière guerre. Je m'y suis taillé une place importante, très importante puisque c'était moi qui dirigeais le département « meurtres ». J'avais formé une équipe d'élite aux techniques sophistiquées. La mort silencieuse. Vous ne pouvez pas savoir le nombre de personnalités qui sont décédées de notre fait, sans qu'il y ait le plus léger doute quant à la nature de leur trépas. J'étais une sorte de ministre des exécutions délicates au sein du Cartel Noir. Je percevais des sommes folles. Je menais la grande vie.

« J'avais eu le bonheur de rencontrer une femme merveilleuse : Joan. Lorsque je l'ai connue, elle était mariée à un sénateur âgé avec lequel elle s'ennuyait. Nous deux, ça a été le coup de foudre. Elle a quitté son vieux bonhomme pour me suivre. Au début, elle ignorait tout de mes activités, mais progressivement, elle a compris que celles-ci étaient « particulières ». Alors je

l'ai initiée. C'était... comment vous dire ça, une aventurière. Une vraie, dans l'âme. Loin d'être effrayée,
elle s'est montrée ravie et a insisté pour m'assister dans
mon travail. Une fille époustouflante. Et maintenant,
elle est morte, tuée par mon propre frère ! »

Une larme coule de son œil encore valide. Il ne la
sent pas.

Sauveur s'est éloigné pour pisser. Il est écœuré.

— Complètement jobastre ! ronchonne-t-il. Sipho-
né à mort.

Il sent que sa vengeance lui échappe. On n'abat pas
un demeuré.

— Tu crois pas qu'il nous chambre ? me demande-
t-il en balançant une louise consécutive à sa miction.
Et si c'était de la frime, flic ? La grande scène du
demeuré ? Ce charognard est capable de tout. Suppose
qu'il nous la fasse au reprentir ? Il s'affale, chique les
lamentables : Dieu, le remords, tout le roman rose. Il
se dit qu'après sa confession pathétique, on n'aura pas
beau schpile pour le mettre en l'air ; que le cœur n'y
sera plus.

C'est justement la question qui me tourmente. Jamais je n'ai rencontré une conjoncture aussi ambiguë.
Avons-nous affaire à un formidable comédien qui,
voyant la situation perdue, joue son va-tout ?

Clay repart, toujours de ce même débit sirupeux :

— J'étais heureux, tout fonctionnait à merveille.
Jusqu'au jours où il s'est produit au Cartel cette dam-
née bavure...

— Quelle bavure, Clay ?

— Je dois vous dire qu'une fois par mois, il y avait
une conférence d'état-major au Cartel. Les chefs de
section, nous nous réunissions dans un bureau de
Manhattan. Nous étions cinq. Le vieux Ray Strong
écoutait nos critiques et nous donnait des instructions.
Il tenait à ces petits séminaires afin, disait-il, de main-

tenir « l'esprit de corps », comme dans l'armée ! Lors de ces entretiens, nous nous trouvions en liaison phonique avec le bureau d'un des grands patrons dont nous ne connaissions ni le nom ni le visage, mais seulement la voix, car il lui arrivait d'intervenir au cours de nos discussions pour trancher un différend ou encore lancer un avertissement. Lorsque la réunion était terminée, Strong nous quittait et nous prenions un verre.

« Voici quelques mois, il s'est produit une fausse manœuvre : la phonie est restée branchée et nous avons entendu, par la force des choses, une conversation ultra-secrète que tenaient « les huiles lourdes », comme nous les appelons. Ce qui s'y est dit était d'une gravité extrême ; plus encore que cela, même. Quelque chose d'indicible ! Nous écoutions sans dire un mot, abasourdis. Brusquement, la porte s'est ouverte, Strong est entré, il a écouté un instant, nous a regardés et il est reparti aussi brusquement qu'il était venu.

« De toute évidence, il avait dû repenser à la phonie en cours de conversation et venait vérifier que nous entendions bien ce qui se disait dans le saint des saints. L'ayant constaté, il est allé prévenir « les huiles ». J'ai tout de suite pigé que nous allions devoir payer cher cette indiscrétion involontaire. Effectivement, peu de temps après, un bon copain à moi qui faisait partie de ma bande, avant mon arrivée au Cartel Noir et qui touche de très près Ray Strong, m'a averti que l'organisation avait décidé un énorme chamboulement chez les chefs de section. J'ai compris ce que ça voulait dire : nous étions condamnés à mort, tous les cinq. On allait nous exécuter pour avoir surpris un secret que nous n'aurions jamais dû connaître. »

— Vous éliminer n'était pas suffisant. Vous auriez pu parler de la chose à d'autres personnes, ne serait-ce qu'à vos compagnes ? objecté-je avec mon cartésianisme français.

— Quand on est digne d'appartenir au Cartel Noir, un secret pareil on n'en parle à personne. Les « huiles » le savent.

Il se tait, sa tête dodeline, puis part en avant et il tombe lentement, la face dans la caillasse.

Je vais pour le relever. Sauveur s'écrie:

— Gaffe, flic! Gaffe!

— A quoi? demandé-je.

— Ce type, il aurait sa tête coupée, placée entre ses jambes, je me méfierais encore de lui!

Il s'approche, le pistolet braqué sur Clay.

— Si tu m'entends, fait-il à Irving, sache qu'au plus petit mouvemement pas catholique, je fais exploser ce qui te reste de tête.

Mais Clay paraît authentiquement évanoui.

On attend ainsi, sans bouger.

A l'entrée du défilé, Brigitte me crie:

— Je dois replier la couverture?

— Encore deux minutes! lancé-je, et je suis complètement à vous!

— Dis, on ne va pas rester commako jusqu'à la Saint-Trou! gronde Sauveur. J'aime bien rigoler, mais là c'est plus tenable.

Du pied, il retourne Irving Clay sur le dos. On a un haut-le-corps devant ce visage supplicié. La bouche est grande ouverte, les lèvres retroussées. Son œil amoché semble vouloir sortir de sa cavité.

Un sale pressentiment me point. Je pose ma main sur son cou pour palper l'artère jugulaire: rien ne bat plus! Je touche sa poitrine par acquit de conscience: rien non plus de ce côté! Fermé pour cause de décès.

— Eh bien, tu as réalisé ton vœu, fais-je à Sauveur: tu l'auras tout de même buté. Il a dû faire une hémorragie cérébrale à la suite de ton coup de crosse. Après un passage semi-comateux, il a rendu sa belle âme à Dieu. Son papa pasteur doit être content: il aura eu le temps de regretter ses forfaits avant de crever, voire d'en expier une partie. C'est beau, c'est moral ; tu la raconteras à tes petits-enfants, plus tard.

Il est tout benêt, le Turc. Comme si, au temps de sa carambouille voiturière, on lui avait refilé une Mercedes 500 sans son moteur.

— Merde, soupire-t-il, ça finit connement. J'avais pas imaginé que les choses tourneraient de cette manière !

— Toujours l'inattendu arrive, récité-je.

— Qu'est-ce qu'on fait ? s'inquiète-t-il.

— Pendant que tu vas réciter des prières pour sa paix éternelle, moi je vais finir Mrs. Simpson, c'est l'honneur de la France qui est en jeu !

ET CE FUT LE CINQUIÈME MEURTRE.

12

Après, c'est devenu autre chose.
De tout à fait différent.
Mais que je te raconte...

On survole la Californie qu'arrose un soleil à tout casser. Carte postale, vue aérienne. Le Pacifique d'un bleu presque noir à l'horizon, le ciel d'un bleu presque blanc vers les confins. Des alignées de palmiers le long des routes, des maisons « plein-la-vue », avec des piscailles aux formes tarabiscotées, des buildings blancs, des autos dont les chromes luisent comme des bancs de petits poissons. Voilà la photo intégrale. T'ajoutes des plages criblées de taches de couleurs vives (les maillots de ces dames ricaines) et c'est comme si tu y étais. T'as plus qu'à virer ce que tu voudras à mon C.C.P. pour me remercier de t'avoir épargné le voyage et on sera quittes.

La Simpson, honnêtement, je veux pas me vanter, mais je peux te garantir qu'elle en a pris plein les baguettes. Un coup géant! J'ai déployé toutes mes ressources et ça fait beaucoup. Elle pilote avec lassitude. Des cernes de reconnaissance sous les lampions, la viande comblée.

A un moment, sa main quitte le manche de l'hélico

pour flatter le mien, comme on caresse l'encolure du gail qui vient de remporter le Prix de Diane.

— C'était unique! elle dit.

Elle répète:

— Unique.

Je tapote sa main, murmure avec modestie:

— Mais non, penses-tu, môme, un petit galop d'essai pour se mettre en verve. Si on se revoit, je te passerai la suite du programme: « La nuit de folies du calife », « la horde en rut », « les manches à couilles attaquent à l'aube »!

Au bout d'un peu, elle rêvasse:

— Ce que vous m'avez fait: le très long baiser entre les jambes, comment avez-vous appelé cela, chéri?

— La « tarte aux poils », ma chérie, chez nous, c'est monnaie courante; même les sacristains le pratiquent aux chaisières!

— Fabuleux! J'avais un peu connu cela avec mon psychiatre qui est hongrois d'origine, mais il avait de l'asthme et le plaisir n'avait pas le temps de se développer, comprenez-vous?

— Ah! c'est quelque chose qui ne souffre pas la médiocrité, sentencié-je. Il s'agit d'une manœuvre de longue haleine, si je puis dire. Il faut pour la réussir pleinenent, disposer d'une cage thoracique à grande capacité et d'une langue de caméléon.

Elle opine (elle sait bien faire). Rêvasse encore à la merveilleuse séance sur la couverture. Je lui avais fait ôter sa combinaison verte et l'avais mise à genoux, de force. Doigt de cour dans l'œil de Caïn. Ensuite, embroque alternée,ce que, nous autres pros appelons le coup du « par-ci, par-là ». Au début, elle protestait que « Non, non, impossible! » Mais impossible pas français, le président Mitterrand te le dira! Au bout de cinq minutes, elle était folle de régalade et appelait: sa maman, son mari, le Président Bush, le pasteur Martin

Luther King, le général Colin Powell, chef d'état-major des armées, sœur Thérésa, Frank Sinatra, son gynéco, le docteur Porridge, sa vieille grand-mère du Connecticut, son pot de vaseline Greymon-Diamond, le godemiché de sa sœur Barbara, son rouleau à pâtisserie, la main de son masseur, son bidet à jets multiples et sa bombe de mousse Buttockclean. Elle en redemandait toujours, en exigeait! Et moi, infatigable, j'en dispensais généreusement.

Tout ça à quelque cent mètres du cadavre d'Irving Clay! La mort, la vie: allégorie! Et Sauveur, hébété, attendait la fin de notre plaisir auprès de sa victime. Mais il ne la reconnaissait pas comme telle. Pour lui, ça devenait accidentel, ce trépas. Ce n'était pas l'assassinat méticuleusement élaboré auquel rêvait sa vengeance, mais un banal décès à la suite de manœuvres ayant entraîné la mort sans intention de la donner. Il avait frappé Clay pour l'estourbir, pas pour le buter. La nuance primait tout.

Comme si elle suivait le développement de mes pensées, Brigitte Simpson demande:

— Vous en avez fait quoi, du type que vous pourchassiez?

— Rien, fais-je. Mon pote lui a mis une avoinée et on l'a laissé sur place avec sa tire.

— Vous êtes certain qu'il n'est pas mort?

— Evidemment.

— Vous allez séjourner encore à Fresno?

Je songe à la brave Maryse dont il serait grand temps que nous nous occupassions, comme dirait Jean Dutourd à qui il est arrivé de rater un train, mais jamais un subjonctif.

— Probablement deux ou trois jours, oui.

— Nous nous reverrons?

— Avec joie.

— Dans un lit avec vous, ça doit être mieux que par terre sur une couverture.

— Vous en jugerez.

Je me retourne, Sauveur, dûment ceinturé, dort sur
l'un des sièges arrière, mais du sommeil léger d'un
truand qui a un flingue en guise d'oreiller. Mon mouvement le fait soulever une paupière.

— T'inquiète pas : j'entends tout, dit-il. Pourquoi
veux-tu demeurer à Fresno ?

— Maryse ! Elle ne doit pas être transportable si on l'a
opérée.

— Et alors ? Tu vas pas rester à son chevet et lui tenir
la main entre deux troussées à cette péteuse ? Ta collaboration est achevée, flic. Tu dois rejoindre ta volière, moi
je m'occuperai de ma gosse.

Il est amer, à cran, pas saisissable, fût-ce avec des
pincettes en or gainées de velours.

— Comme tu voudras, soupiré-je.

— En rentrant à Paris, tu préviendras le frelot du
Gitano ?

— Bien sûr.

— Et puis tu lui refileras de l'osier, un gros paxif.
Pendant que tu limais madame, j'ai dégauchi le trésor de
guerre du fumelard dans sa Porsche.

Il sort de sa vague un gros sachet en peau de chamois
fermant à l'aide d'un cordonnet.

— Je le savais, dit-il. Ils agissent tous pareil, parce
qu'il n'y a pas d'autres solutions pour réduire une fortune à sa plus simple expression. Des cailloux : diams et
rubis. Le plus mignard avoisine les cinq carats. Tu
proposes ça à Cartier, il t'embrasse à pleine bouche.
Qualité exceptionnelle ; il savait choisir, le salaud !

— Ben tu vois : t'auras pas perdu ton temps, dis-je.

Il sent le mordant de ma voix et tique.

— Si tu veux ta part, flic, te gêne pas.

— M'insulte pas, le Turc, je ne le mérite pas.

Il hausse les épaules.

— Vous me plumez avec votre intégrité ! Tous tes
collègues ne sont pas comme ça !

— Hélas ! non, mais dans l'ensemble notre boîte tient le coup.

— Je vais attriquer la moitié du pactole à Manolo, ce sera comme une espèce d'héritage que lui aura laissé le Gitano.

— Manolo fait dans les gemmes, justement.

— Alors il va mouiller !

— Tu risques de chanstiquer sa vie. Il est pépère avec les siens, dans sa maisonnette de banlieue. Comme sa grognasse n'est pas une épée de sommier, il va tirer des petites salingues aux terrasses. Bref, son existence est sur rails.

— Tu te figures que l'osier va lui faire perdre les pédales ?

— Ça risque.

— Non seulement il joue les vertueux, mais le voilà prédicateur, ce flic de mes burnes ! explose Sauveur. C'est pas perdreau, mais cureton que t'aurais dû te faire !

— Je m'accommode de ma conscience, mec. Quand je crois la cause intéressante, j'hésite pas à traverser l'Atlantique avec un truand, mais ça ne m'empêche pas de garder mon nez propre. Alors, « l'héritage » du Gitano, comme tu appelles ça, tu le remettras toi-même à Manolo de La Roca ; je fais pas le facteur dans ce genre de combines.

— Bien, monseigneur !

Une fois posés à Fresno, je dis civilement au revoir à notre piloteuse de charme (car son mari est là : un grand primate à poils blonds, avec des yeux clairs bourrés d'innocence et de connerie), et nous récupérons ma tire de louage sur le parking. Direction d'hosto.

Je me sens un peu penaud vis-à-vis de Maryse que nous avons abandonnée sur son lit de douleur. Vraiment, on peut dire que nous faisons passer la « justice » avant la tendresse, Sauveur et moi. Drôle de père et drôle d'amant qu'elle a touchés là, la pauvrette ! Le dabe ne songe qu'à éventrer l'assassin de son copain Gitano, l'amant qu'à faire reluire une ravissante pilote d'hélico ! Faudra qu'elle apprenne l'aquarelle, Maryse, ou la musique. Qu'elle se consacre à un art pour oublier les mesquineries de l'existence.

L'hôpital Santa Puta de la Constipacion est neuf, étincelant de blancheur. Des infirmières pour feuilleton télé se meuvent silencieusement dans des couloirs égayés de lithographies futuristes représentant des villes dans le ciel, des trains volants, des femmes-automobiles et autres gracieux cauchemars de ce type.

On demande l'infirmière-chef. Toujours comme dans les feuilletons ricains, c'est une Noire pour donner bonne conscience au public, prouver l'à quel point on a l'esprit large aux States et que l'ancien racisme, tiens, fume !

Jolie personne, bien roulée, un maquillage approprié qui accentue la beauté de ses traits. Le cul un peu haut, comme toutes les Noirpiotes, ça, on n'y peut rien ; haut et cubique, comme si elles trimbalaient une giberne de gendarme sous leurs jupes. Côté odeur, c'est la pharmacie qui domine. Elle est agréable, seyante. Le climat californien me portant au derme, je ferais volontiers rebelote avec elle. Alors je plonge mes yeux au fond des siens et je prends ma voix suave de « speaker » d'avant-guerre pour lui demander comment se porte Miss Kajapoul. Elle me répond que l'opération s'est bien passée, que la patiente est réveillée depuis plusieurs heures et qu'elle a même de la visite.

Alors là, un qui cesse de jouer les mirliflores, c'est ton pote bien-aimé, le commissaire Cent-ans-de-tonneau ! De la visite, Maryse ? A Fresno ?

Le Turc est déjà dans l'escadroche. Je l'emboîte. Les marches par cinq ! La môme se trouve dans la chambre 204, en compagnie d'une certaine dame H.-J. Boil, victime d'un accident de la circulation.

On entre sans même toquer. Et on avise tout de suite la gentille Maryse, pâlotte dans son lit blanc, avec deux grands mecs de part et d'autre. Ces gus, ils sont aussi sympas que deux flaques de dégueulis d'ivrogne. Ils portent des costars de coutil blanc froissé comme la peau d'un char-peï, des chemises à rayures bousculantes, des chapeaux de paille à large bord. Tu dirais les héroïques gaziers qui vont sur les pentes de la cordillère des Andes tester le café pour les Etablissements Vavre. L'un a une gueule large et rouge, semée de boutons, ce qui le fait ressembler à une tarte aux fraises qui commence à déconner dans la vitrine ; l'autre se contente d'être d'un rose luisant de tête de porc rasée de frais. Ses cils blonds et ses lampions d'albinos n'ajoutent rien à sa séduction naturelle.

— Faites gaffe, ce sont des perdreaux ! annonce tranquillement Maryse, sans nous regarder, comme parlant à ces deux bourriques qui, fort heureusement, n'entravent pas le français.

Moi, self-control à tout berzingue, je me dirige vers le pucier de Mrs. Boil, près de la fenêtre. Après une hésitance, Sauveur m'escorte.

— Hello, Mistress Boil ! lancé-je d'un cœur joyeux et sincère.

L'interpellée est une petite vieillasse aux cheveux bleus frisottés. Le gus qui l'a emplâtrée n'y est pas allé de main morte, car il ne subsiste pas grand-chose de cette personne qui eût appartenu à sa géographie initiale. Elle porte une minerve, a un bras dans le ciment, plus une jambe maintenue surélevée. T'ajoutes des blessures ouvertes un peu partout et t'obtiens une vieille poupée disloquée qui serait tombée dans un pot plein de mercurochrome.

— Comment vous sentez-vous ? poursuis-je en m'asseyant au bord de son pieu, fort malencontreusement, car j'écrase de mon séant le seul élément de sa personne qui fût resté valide : son pied gauche.

Son cri me fait me relever.

— Excusez! dis-je. Faut-il sonner l'infirmière?

La vieille déglinguée secoue négativement le chef.

— Non, ça ira. Qui êtes-vous?

— Nous sommes envoyés par votre assurance pour un complément d'information.

— Mais, bêle la pauvre brebis calleuse, tout a été réglé, c'est en ordre.

Je lui souris.

— Simples points de détail à éclaircir pour le rapport définitif, Mistress Boil.

— Ah bon!

Je feins de ne pas m'occuper du lit voisin. Mais voilà que « Tarte-aux-fraises » marche délibérément dans notre direction.

— Hé, vous! fait-il en pointant sur mon triceps un index gros comme ta queue en érection.

— Moi? gagné-je du temps.

— Oui. Vous êtes français?

— Pourquoi me demandez-vous ça?

— Parce que ça s'entend.

Un certain froid monte le long de mes jambes, glace mes génitoires, investit mon rectum, grimpe encore... Bon, je suppose qu'on l'a dans le fignedé et que ma ruse compte pour du beurre rance.

Alors voilà qu'il se passe des choses. Pas des jolies. C'est le gros caca de chien sur le tapis persan de la marquise! Ce con de Sauveur trouve rien de mieux que de dégainer sa rapière et d'enfoncer le canon dans le bide du poulardin.

— On se calme! il tonne.

Comme quoi, quand t'es forban, tu le restes pour toute ta vie.

— Papa! Je t'en supplie! lance la pauvre Maryse.

Je me demande comment un pareil imbroglio va pouvoir se dénouer. C'est Tarte-aux-fraises qui trouve la soluce. Putain, ce coup de boule taurin qu'il file dans le clapoir à Kajapoul! Un mouvement bref, parti de l'instinct. Monumental! Sauveur tombe sur son cul comme une poire trop mûre largue l'espalier. Complètement estourbi. Tu pourrais le compter dix sans problème. Il a lâché son feu et Tarte-aux-fraises, sans perdre une seconde, a posé le pied dessus. Son pote se pointe à la rescousse. C'est joué avec une célérité qui force l'admiration. Je crois qu'en Francerie on a beaucoup à apprendre de nos homologues ricains. Nous nous retrouvons menottes aux poignets en deux coups les gros. Pas flambards. M'est avis que la cote du Sana enregistre un léger fléchissement à la bourse des limiers d'élite! Ah! il n'est pas près de retrouver la douceur angevine, Tonio!

Les deux bédis sont des fédés. Ils nous ont drivés dans un bureau vitré insonorisé. A travers les cloisons de verre, tu découvres d'autres burlingues, et d'autres encore, plus loin. Toute la vie de l'hôtel de police se trouve exposée. On aperçoit des draupers en civil, d'autres en uniforme, des prévenus, des chefs, des putes, des camés fin perdus. La faune de « Detective Story », quoi.

Goret-rose et Tarte-aux-fraises ont accroché leurs vestons et leurs badas de carnaval au portemanteau. Ils arborent des limaces à manches courtes et tout deux ont des brandillons musculeux, couverts de poils blond-roux. Ils sont du genre taciturne. Ils parlent peu, mais ce qu'ils disent c'est rien que du concentré. Ils nous ont fouillés et tout ce que nous avions en poche se trouve étalé sur la plaque de verre du bureau. Le butin de Sauveur : liasses de mille verdâtres et cailloux où pullulent les carats sont gracieux. Là, espère, ça nous enrichit le pedigree. Je me sens flic pourri à outrance.

Tarte-aux-fraises sort s'acheter un Coca au distributeur du hall. Il revient en buvant à la boutanche. Son holster lui confère une allure de flic de films noirs : le méchant aux coups tordus. Goret-rose, lui, depuis plus d'un quart d'heure examine nos fafs scrupuleusement, et quand il a terminé, recommence. A la fin, il sort en les emportant et c'est Tarte-aux-fraises qui nous prend en charge, sa bouteille de Coca à la main. Sauveur a les deux lèvres éclatées, gonflées. Il a paumé une dent de devant et on voit une brèche noire dans sa clape qui fait tout sauf distingué. Il arbore ce fatalisme propre aux truands que les perdreaux viennent de serrer. Chez messieurs les hommes, la défaite s'accepte avec dignité.

Au bout d'un peu, Tarte-aux-fraises s'adresse à moi :

— C'est vous qui avez volé le station-wagon des campeurs dans la forêt de Thank's Verymuch ?

Si je m'attendais ! Un vrai pro ! Toujours attaquer un prévenu par un délit mineur pour le rassurer. C'est plaisant. Seulement, comme il a affaire à un autre vrai pro, ça perd de son charme.

Il ajoute :

— La fille de l'hôpital…(il consulte un faf) Maryse Kajapoul, a reconnu le fait. Vous l'avez transportée dans le véhicule en question.

— Ecoutez, dis-je, je suis aussi de la Maison, alors on ne va pas se mettre à finasser ; nous allons tous gagner un temps appréciable en jouant cartes sur table. Je conçois que ma position vous semble équivoque, pourtant, malgré les apparences, je suis irréprochable.

Il n'a pas l'air joyce de ma propose. Reste plantigrade. Hostile. C'est pourtant agréable pour un poulet, un prévenu qui propose de jacter.

Son pote revient. Il tient un feuillet genre télégramme qu'il met sous le nez de son collègue. Tarte-aux-fraises lit et reste impavide. L'autre froisse le papelard et le glisse dans sa poche de pantalon. La scène tourne à l'irréel. Les deux mecs continuent de nous observer sans parler. Goret-rose regarde sa montre. Dehors, la journée qui en

a un coup dans l'aile commence gentiment à violir.
L'appareil à air conditionné zonzonne doucement. Quelque part, malgré les vitrages insonorisés, une fille pousse
un cri hystéro. Machinalement, on la cherche des yeux à
travers la succession de bureaux, mais on ne voit rien.
J'ai faim, soif et sommeil. Surtout soif.

— Je pourrais avoir un verre d'eau ? finis-je par demander.

Ils ne répondent rien, mais ça donne l'idée à Tarte-
aux-fraises d'achever son Coca.

On attend encore.

— Dites donc, fais-je, j'aimerais bien qu'on prenne
ma déposition, c'est envisageable ?

Un voyant vert s'allume sur le socle du téléphone.
Goret-rose décroche :

— Oui, c'est moi ! Passez-moi la communication.

Un temps. Il écoute. C'est plutôt bref. Il fait « O.K. »
raccroche. Puis, à nous :

— Remettez tout ça dans vos poches !

On ne pige pas. Il répète :

— Vous m'avez entendu ? Reprenez votre foutu fourbi.

Éberlués, chacun de nous récupère ce qu'il avait dans
ses vagues avant la fouille. Sauveur, pourtant, hésite à se
saisir des dollars et des cailloux. Il jette un regard
interrogateur aux deux fédés, lesquels ont un acquiescement maussade. Alors, bon, il se charge. Tarte-aux-
fraises va même prendre le pistolet dont l'avait menacé
le Turc et le lui tend par la crosse. Là alors, on n'en peut
plus de pas piger.

— Suivez-nous !

On retraverse les locaux sans être menottés. L'air sent
la sueur, la poussière ; les climatiseurs malaxent tout ça.

Sur le perron, la chaleur de cette fin d'après-midi nous
suffoque. Comme nous apparaissons, une énorme li-
mousine de 15 places, qu'on trouve seulement aux

States, et qui stationnait en double file, s'avance. Elle se range pile devant nous. Goret-rose ouvre l'une des portières.

— Montez! enjoint-il.

Nous obtempérons. A l'intérieur, ils sont quatre, plus le chauffeur. Quatre gonziers aux mines tellement rébarbatives qu'elles guériraient le hoquet d'une tigresse allaitant ses petits. On s'assied sur la banquette placée dans le sens inverse de la marche, c'est-à-dire face aux quatre personnages mentionnés sur l'étiquette, au-dessus de la date limite de conservation du produit.

Cette brochette est impressionnante. Des mannequins de cire! Seuls leurs yeux restent mobiles. De droite à gauche, il y a un gars trapu, à la poitrine épaisse, dont le menton s'adorne de deux bourrelets; un grand blond aux traits géométriques; un Arabe très pâle, dodu, au front dégarni; un zig à frite de condor, plutôt négligé, affublé d'un blouson râpé, de baskets cradingues et qui s'est tellement tartiné la chevelure de gomina que des boulettes grosses comme des griottes restent agrippées à ses tifs.

Drôle de quatuor. Quand nous sommes assis, je constate alors que la portière s'est refermée et que Tarte-aux-fraises et Goret-rose n'ont pas pris place dans la tire. Ils sont restés à quai et regardent s'éloigner le navire. Goret-rose s'évente avec son beau bitos d'opéra comique. Très très comique.

Comme les quatre vilains continuent de se taire, à l'instar de leurs collègues fédés, Sauveur murmure de sa pauvre bouche tuméfiée:

— On fe croirait au mufée Grévin.

D'accord, mais ce groupe inquiétant représenterait qui ou quoi? La police ou le crime? Le vice ou la vertu? Moi, ça ne me dit rien du tout, ce foutu micmac. Je sens venir une béchamel vachetement onctueuse. Que les condés nous aient sautés, ça me paraissait logique. Mais qu'une fois à la maison de police, ils nous fassent renfouiller notre barda et sortent pour nous confier à des zozos de ce calibre, là, y a comme un défaut. Ça coince! L'ourlet se défait. Car ces quatre messieurs, dans cette immense carriole pilotée par un gros Noir en uniforme, ça ne ressemble plus du tout à une opé poulardière.

Voilà que nous quittons la ville pour attraper la route de Frisco. J'ai de plus en plus faim et soif. Je me sens épuisé au point que, malgré la gravité de la situation, je finis par dodeliner et m'endormir en pointillé. Faut dire que ce monceau de ferraille sans aucune tenue de route se fait berceur. Il accomplit un imperceptible mouvement de roulis propice à la dorme. Je finis par en concasser contre l'épaule de Kajapoul. Allégorie: le crime servant d'oreiller à la police!

Dans une demi-conscience (proche de la demi-inconscience), je me dis que la situation n'est pas grave, qu'elle est seulement désespérée. Pour revenir de cette croisière, y a pas de réservation possible.

Il a été perfide, le Sauveur de m'entraîner dans cette gadoue. Tu trouves qu'il mérite son prénom, toi?

On ne va pas jusqu'à San Francisco car, lorsque je m'éveille, il fait nuit. La lune, lanterne chinoise (toujours quand elle est pleine comme une vache), les étoiles, larmes d'argent (merci), la mer et ses blancs moutons (remettez-nous une tournée, la patronne). On se dirige droit vers cette dernière et nous atteignons un port qui doit être très plaisant de jour. Là, les quatre mousquetaires descendent et nous intiment d'en faire autant; ce dont. L'énorme calèche et son caléchier (qu'allait chier) disparaissent. A quai, parmi une flottille d'aimables barlus, on distingue une vedette d'au moins dix mètres, agiornalement éclairée, ayant deux matafs à son bord, portant des maillots blancs sur lesquels est écrit *Silver Shark* en caractères bleus.

— *Go!* fait le blond.

Crois-moi ou va te faire caréner la zifolette chercheuse pour lui assurer une meilleure pénétration, mais c'est le premier mot dont on veut bien nous gratifier : deux lettres !

Sauveur murmure :

— Ils comptent nous faire le coup du rouleau de grillage, en pleine mer. On va pas se laisser niquer comme des bleusailles, non ? Puisque les flics m'ont rendu mon moukala, je pourrais essayer de cartonner ces gentlemen.

— Tu charries ! C'est des pros hors concours, t'auras pas le temps de dégainer que tu te retrouveras au sol avec trois livres d'acier calibré dans le burlingue.

— Mourir de ça ou noyé...

— Attends, je crois pas qu'ils aient décidé de nous balancer à la sauce, du moins pas tout de suite. Si tu veux mon point de vue, ces mecs appartiennent à l'organisation qui traquait Irving et ils entendent savoir comment et pourquoi nous interférons dans cette louche aventure.

Deux bourrades féroces nous propulsent à bord de la vedette, mettant fin à nos considérations plus ou moins oiseuses. Je me tords un pied en chutant dans l'embarcation et je devine que ça se met à enfler illico presto. La pétoche tout azimut, quoi !

On est beaux, Sauveur et moi, lui avec sa bouche en chou-fleur, moi avec mon entorse, entre les mains de ces quatre personnages que l'on sent redoutables au-delà de tout !

La vedette quitte le quai, sort du port et pique sur la haute mer. Très vite, je pige où nous allons. A quelques encablures, comme l'on dit dans les romans de Stevenson, on aperçoit un grand bateau illuminé. Des guirlandes d'ampoules le ceinturent. On entend de la musique répercutée par les eaux. Y a fête à bord.

Effectivement, notre embarcation met le cap sur ce navire. L'un des deux matafs a dégainé un talkie-walkie et dit des choses que je ne perçois pas à cause du vacarme des moteurs. La distance entre la vedette et le yacht diminue rapidement. Bientôt, je suis en mesure de lire le nom de ce dernier sur sa coque : *Silver Shark*. Donc, la vedette appartient au bord du gros barlu.

Au fur et à mesure que nous approchons, je distingue des passagers en tenue de soirée, sur le pont où a lieu la fête. Tiens-toi bon au bastingage, c'est pas de la musique en conserve qui anime la sauterie, mais un vrai orchestre. M'est avis que le propriétaire de ce barlu doit affurer un max pour s'offrir de tels caprices.

On accoste le flanc du yacht dans lequel est ménagé, un peu au-dessus de la ligne de flottaison, une ouverture commandée par une large porte coulissante. Un pan incliné a été sorti, muni d'une double rambarde. A l'intérieur, deux grosses ampoules, à la lumière laiteuse, éclairent le pont réservé à l'embarquement des denrées et ustensiles. Quelques ombres de matafs s'y agitent.

— Débarquez ! nous dit l'Arabe.

On obéit. Les quatre vilains nous suivent. Une fois à bord, nos escorteurs se désintéressent de nous et nous sommes pris en charge par les marins du *Silver Shark*, de charmants bambins à bouilles de chourineurs. Cheminement dans des coursives. L'un des matafs (tatoués) qui nous précèdent s'arrête devant une porte de fer dont la fermeture est commandée par un volant. Il actionne celui-ci et déponne sur un local sombre qui pue l'huile chaude. On nous y pousse sans brutalité, et la lourde se referme. L'obscurité est totale. Je peux t'affirmer que c'est angoissant sur les bords.

— Comme des rats, bordel ! gronde Sauveur. J'aurais pas dû t'écouter, et lancer une offensive avant d'embarquer.

J'avance, les bras en avant. Dans ces cas-là, tes mains deviennent tes yeux. Je palpe une cloison de tôle, des têtes rondes de rivets. Je la suis. Quatre petits pas, elle tourne à angle droit. Quatre autres pas, nouveau virage. Bref : une boîte ! Une boîte de métal, le plancher est aussi en tôle, gaufrée celle-là. Pas un siège, pas un objet, rien ! Des surfaces lisses où les rivets forment une théorie de bubons. Il fait une chaleur tropicale, et l'air est raréfié. Je m'assois, le dos à une cloison… Vaincu.

Oui, t'as bien lu, Lulu : vain-cu. Vain cul que je suis !

— Tu crois pas que nous aurions dû rester devant notre Dubonnet, le Turc ?

— Faut penser à autre chose, il conseille en technicien de la claustration.

La verrouillanche, il connaît, Sauveur.

— T'as raison, admets-je. As-tu remarqué le tatouage du marin qui a ouvert la porte ? Depuis l'épaule jusqu'au coude. Ça représente une sirène. Quand il fait gonfler son biceps, on doit avoir l'impression que la sirène est en cloque, non ?

— C'est tout ? demande Kajapoul.

— Je fais ce que je peux pour penser à autre chose, mon drôlet.

Je l'entends qui s'assied lui aussi, en geignant. Il continue de parler en remplaçant les « s » par les « f », mais je renonce à transcrire ici cette anomalie momentanée du son, rien n'étant plus grotesque que ces auteurs (ça pullulait au siècle dernier) qui restituaient fidèlement dans leurs textes les accents, les bégaiements, voire les claudications !

— En somme, fait-il, la police nous a livrés au Cartel Noir ?

— Pas plus malin que ça.

— C'est quoi, selon toi, ce bateau ?

— Le yacht d'un des chefs de l'Organisation.

— Ils attendent quoi de nous ?

— Qu'on leur dise ce que nous savons.

— Et on va faire quoi ?

— Le leur dire.

— Tu crois ?

— Pourquoi ferait-on mystère de ce que nous avons découvert ? On n'en a rien à secouer de leurs combines. Nous, ce qui nous intéressait, c'était de retrouver Miguel de La Roca, et tout ce qu'on a récupéré de lui, c'est le bout d'acier fondu qui était resté coincé dans son épine dorsale (les pines d'or sale).

— Tu penses que si on s'affale gentiment, ils nous relâcheront ?

— Bien sûr, ricané-je, et même ils nous feront une pension de veuves de guerre.

— Ça rime à quoi de nous fourrer dans cette cage de fer ?

— Ils veulent nous conditionner.

— Jusqu'à quand ?

— Peut-être jusqu'à la fin de la fête ; excuse-moi de ne pas te répondre avec certitude, mais les batteries de ma boule de cristal commencent à flancher.

Un long moment s'écoule, puis Sauveur déclare :

— Je suis navré de t'avoir entraîné dans ce coup tordu, flic. Je voudrais te dire merci, pendant que je peux encore. Et chapeau ! T'es un mec grand format.

Même quand t'es à gésir, exténué, dans une geôle, ça fait plaisir à entendre.

Kajapoul ajoute, la voix songeuse, pleine de regrets :

— Si au lieu d'être perdreau, t'avais été voyou, t'aurais fait une carrière superbe, grand !

— C'est comme toi, l'ami. Si au lieu d'être truand, tu étais rentré dans la police, tu serais divisionnaire en retraite !

Une lumière vive ! Des voix.

J'ai un soubresaut et m'arrache au sommeil de plomb dans lequel je troquais la dure réalité contre des cauchemars plus dégueulasses qu'elle.

La porte s'est ouverte. Je cligne des yeux. Deux

matafs en maillot blanc, avec le nom de ce foutu navire écrit en lettres tarabiscotées. Y a le gus au tatouage sirénique (il a dû se le faire faire en Angleterre, car la sirène ressemble à Mrs. Thatcher).

Il dit :

— *Get-up* ! ce qui, dans tous les dicos franco-anglais et lycée de Versailles signifie « debout ».

On se lève. Dans le mouvement, ce con de Sauveur, gangster pour noces et banquets de grande banlieue, laisse choir son pistolet. Le tatoué ramasse l'arme et la passe dans sa ceinture. On y va. Au bout de la coursive, on emprunte un ascenseur qui nous monte d'un pont seulement. Bref cheminement et nouvelle porte, mais qui ne s'actionne pas à la manivelle comme la chambre forte d'une banque super-équipée. Nous pénétrons alors dans l'endroit le plus fou, le plus insolite qu'il m'ait été accordé de voir. C'est tellement insensé que je ne sais par quel bout commencer une description qui, pourtant, est absolument indispensable, lecteur vénéré, pour que tu puisses ensuite comprendre, avec le minable quotien inintellectuel qui t'a échu, la suite des dramatiques événements.

Imagine un très vaste local, de forme à peu près cubique, mesurant approximativement dix mètres de côté, ce qui revient à dire que ce volume s'inscrit sur trois niveaux. Contre l'un de ses pans, une sorte de tribune basse est dressée, offrant environ une douzaine et demie de places. Il s'agit de banquettes capitonnées, recouvertes de cuir de Suède. Elles sont vides lorsque nous sommes introduits. Devant la tribune, une table, un fauteuil et, en face dudit, un banc de bois grossier. Tu me suis jusque-là, Nicolas ? Pas de questions ?

O.K., je poursuis.

Cet agencement n'est pas sans évoquer une sorte de tribunal. Mais ce n'est pas lui qui fait la dinguerie du lieu. Oh ! que non, s'il n'y avait que ça ! L'ahurissant, l'impensable (d'Olonne), c'est le gigantesque aquarium occupant le reste du local. Huit mètres de long, cinq de large, six de hauteur. Empli d'eau. Et dans cette flotte verdouillante, un abominable grouillement de caïmans, voire peut-être bien d'alligators. L'horreur. Le plus petit de ces sauriens va chercher dans les quatre mètres. Et il y en a... Attends que j'essaie de les dénombrer. Il y en a... un, deux, trois, quatre, cinq, six. Merde! ils bougent toujours!... Sept... Il y en a huit! Ces effroyables reptiles barbotent dans l'immense aquarium de verre. Parfois, certains viennent appuyer leur gueule redoutable contre les parois et nous jettent des regards de convoitise. Pas piqué des hannetons, l'historiette, hein?

Mais attends, j'ai toujours pas fini. Sur l'aquarium il y a une grille et, sur cette grille, un homme nu, ficelé et bâillonné. Les crocos sentent cette gourmandise au-dessus d'eux et c'est ça qui les énerve. Ils sautent pour essayer d'attraper la proie. Ce faisant, ils se cognent les naseaux contre la grille.

On mate le panorama et nos meules se crispent au point qu'on pourrait servir de coupe-cigares chez Davidoff.

Sauveur me dit:

— C'est le barlu à Dracula ou quoi? On joue dans un James Bond?

Je ne réponds pas. Je sens qu'un moment capital de mon existence est en train de commencer. Et je risque de finir avec lui, comme l'écrit avec pertinence Mme Yourcenar dans « Peau de balle et ballet de crins »

Le tatoué nous dit qu'on peut se *sit down*, en montrant le banc de bois des Galeries Barbès.

Pourquoi pas?

Alors on dépose nos deux joufflus et on se met à contempler les évolutions des vilaines bestioles. Ça me rappelle un élevage de crocos que j'ai visité en Thaïlande. Des chiées de bassins où les sauriens étaient classés selon leurs âges, leurs tailles. Des ponts gracieux enjambaient ces réservoirs et je regardais, fasciné, les évolutions des bestioles. Cette fois, la sensation est plus forte car les gaspards en question sont gigantesques et l'homme ligoté nu au-dessus d'eux laisse prévoir des scènes monstrueuses.

Au bout d'un moment, une porte faisant face à celle par laquelle on nous a introduits s'ouvre et des gens en tenue de soirée pénètrent dans le local. Une majorité d'hommes, en smok blanc pour la plupart, mais il y a trois femmes parmi eux : robes longues, diams partout, maquillage à grand spectacle. En tout quatorze personnes. Ces gens s'installent dans la tribune. On sent qu'ils ont l'habitude des lieux. Ils devisent sans trop s'occuper de nous, sinon la plus jeunes des dames, une platinée-Marilyn d'une quarantaine de carats qui, je le sens, me juge beau gosse et, dès lors, se demande si j'en ai une grosse et sais m'en servir.

Quelques instants de jacasserie mondaine, puis un dernier personnage apparaît : le grand inquisiteur ! Drôle de type ! La cinquantaine, une élégance raffinée. Il a le visage plat, large et pâle au milieu duquel un nez brisé, devenu pied de marmite, prend l'allure d'un vestige romain sur une place italienne. Des cheveux gris abondants, coiffés en arrière, à la lion. Le regard un peu globuleux.

Contre toute attente, il ne prend pas place dans le fauteuil, mais reste debout, une main dans une poche de son veston avec le pouce en chien de revolver, à l'extérieur.

Il s'adresse aux invités.

— Chers membres, commence-t-il, je vous remercie d'avoir tous répondu à mon invitation. Permettez-moi de passer maintenant aux choses sérieuses et de vous informer de l'évolution de différentes affaires qui furent préoccupantes pour le Cartel mais qui sont en passe de trouver leur solution.

« Vous apercevez, sur la grille du vivarium, un homme entravé. Il s'agit de Petro Da Silva qui centralisait les revenus du Cartel sur la côte Ouest en ce qui concerne les stupéfiants. Notre brigade de contrôle a découvert des malversations que Da Silva a commises pour un montant de huit cent quarante-trois mille dollars. Il a reconnu les faits. Nous avons pensé qu'une telle indélicatesse méritait la mort car, si le Cartel Noir ne se montre pas intraitable sur la probité de ceux qui travaillent pour lui, c'est tout son crédit qui risque de s'effondrer. Comme chaque fois, nous allons procéder à un vote qui confirmera ou infirmera la sentence proposée par les sages. Qui est pour la neutralisation de Da Silva ? »

Toutes les mains se lèvent.

— L'unanimité, enregistre celui que, spontanément, j'ai appelé « le grand inquisiteur ». Eh bien ! que les choses s'accomplissent !

Il fait signe à l'un des deux marins. L'homme désigné se dirige vers une espèce de potence fichée à l'un des angles de l'aquarium. Une chaînette pourvue d'une poignée en pend. Il tire dessus. Alors la grille surmontant le vivarium aux caïmans s'ouvre en son milieu et l'homme dévêtu choit dans la terrible cuve.

Ce qui s'opère alors dépasse l'entendement. A peine en contact avec l'eau, le malheureux est littéralement happé. Huit gueules béantes, d'un rouge violine, se referment sur lui. Chaque saurien tire sa prise à lui. L'eau devient rouge. Le corps du supplicié est écartelé, disloqué, broyé, mangé ! Indescriptible ? Non, puisque je suis en train de décrire. Mais j'en rajoute pas, me cantonne dans les limites du supportable, pas que t'ailles au refile, mon lecteur si douillet ! On voit flotter entre deux eaux des lambeaux de chair, tiens, si je te disais : un pied ! C'est terrible, un pied tout seul. Des entrailles s'étirent comme se dénoue un nœud de serpents. La tête, dédaignée, roule au fond du bac de verre, se déplaçant au gré de l'agitation des reptiles. L'horreur! *The horror*!

Et ce sinistre aréopage contemple la scène sans broncher. Les femmes ne pâlissent même pas. M'est avis que ce joli trèpe est accoutumé à de telles « exécutions ». Les crocos bouffent avec voracité car on doit les affamer préalablement. Ils se battent pour des reliefs. Remontent en surface pour mastiquer joyeusement. Des tronçons d'os sortent de leurs clapes géantes. A présent, la flotte est à ce point teintée par le sang qu'on ne distingue plus très bien les ébats des joyeux drilles.

Le mataf a actionné de nouveau la chaînette et les deux parties de la grille ont repris leur position initiale.

— Bien, fait le grand inquisiteur, voilà donc un premier point réglé. A présent, nous devons nous occuper des deux hommes que voilà. Etrange cas que le leur. Ils sont l'un et l'autre français. Celui-ci est policier et occupe d'importantes fonctions à Paris. Celui-là, au contraire, est un petit gangster, sans doute pas très malin puisqu'il a passé davantage d'années dans les prisons que dehors.

Rires complaisants de l'auditoire.

— Avant de vous parler d'eux davantage, reprend l'orateur, il me faut, mes chers amis, vous signaler un fait capital. Il y a peu de temps, le Cartel Noir, pour des raisons top secret, a décidé de faire disparaître cinq de ses membres actifs: Franck Studder, Charly Rendell, Quentin Deware, Tom Limber et Irving Clay. Pour les quatre premiers, le « contrat » les concernant a été accompli normalement. Pour le dernier, il n'a pas été possible de … l'exécuter pour l'excellente raison que Clay est décédé avant, de sa bonne mort: cancer. Des vérifications furent faites par les gars du Cartel (insuffisantes, nous devions nous en apercevoir par la suite). Je vous le dis d'emblée, Clay nous a feintés avec sa *mort naturelle*. En réalité, il avait ramené d'un voyage en France une petite crapule à qui il a fait prendre sa place au moment de la crémation.

« Astucieux ! Clay avait été prévenu que ses jours étaient comptés et avait eu l'idée de ce gag pour s'en sortir. Malheureusement pour son plan, le damné Français était un coureur de filles. Pendant son séjour chez Clay, à Gulfport, il était devenu l'amant d'une petite entraîneuse noire. Comme le gars, en outre, était du genre fouille-merde, il avait déniché le téléphone de Clay à Fresno, où Irving comptait se "retirer" et l'avait communiqué à sa moricaude. Vous avez bien suivi, *ladies and gentleman* ? O.K. C'est là que se situe l'arrivée de ces deux hommes qui, je le suppose, étaient à la recherche de la petite crapule de chez eux, un certain de La Roca. Leurs recherches les ont conduits chez l'entraîneuse qu'ils ont noyée dans sa baignoire après l'avoir fait parler. »

— Faux ! m'écrié-je. Je suis policier, non assassin !

L'homme murmure, sans s'émouvoir :

— Un instant, je vous prie.

Puis, reprenant le fil de son récit :

— Comme ils avaient demandé l'adresse de la fille à ses compagnes et rencontré des voisins à elle dans l'escalier, il n'a pas été difficile à la police du Mississippi de découvrir leurs traces et d'apprendre qu'ils avaient pris l'avion pour la Californie. Les fédés ont été mis sur le coup. Enquête éclair qui leur vaudra la reconnaissance du Cartel Noir. Ils ont arrêté ces deux personnages qui avaient assassiné le frère de la femme de Clay près d'une mine abandonnée de la Sierra Nevada.

— Faux ! réitéré-je.

Le grand inquisiteur me sourit avec presque de la bienveillance :

— Le moment est venu de vous expliquer, monsieur le détective.

A cet instant, je me dis que pour ces braves notables de la haute criminalité, les plus belles paroles, les plus émouvantes, les plus exaltantes constituent de la musique pour sourdingues. Quand on donne à becter un homme vivant à huit caïmans affamés, la sensibilité est lettre morte. Je leur réciterais du Marguerite Duras ou les manuscrits de la mer Morte, ce serait du pareil au même. Nanmoins, soucieux de ne rien négliger, je leur raconte par le menu et avec une concision qui filerait la chiasse verte à Bossuet soi-même, la cascade d'événements qui se sont déroulés jusqu'à ce jour. Je ne passe sous silence que la façon pittoresque dont j'ai fait la connaissance de Manolo de La Roca, car ils ne pigeraient pas en quoi consiste une minette longue durée. Je leur donne les motifs, le développement de mon enquête, ne taisant aucun des événements. A la fin, ils poussent une exclamation lorsque je leur annonce que Clay est mort pour de bon, buté par mon copain truand. J'explique en quel lieu il se trouve ; ils n'auront aucun mal à récupérer sa carcasse dans le cas où elle les intéresserait.

Lorsque je me tais, le grand inquisiteur opine, l'air satisfait.

— Que voilà donc une bonne nouvelle, dit-il.

Et tous de renchérir.

— Monsieur le détective, fait-il, se tournant vers moi, votre récit avait des accents de vérité qui me donnent à penser que c'est bien ainsi que les choses se sont déroulées. J'aimerais pourtant insister sur un point : Irving Clay vous a-t-il fait des confidences avant de mourir ?

— Comment aurait-il pu m'en faire : il était dans le coma à la suite du terrible coup de crosse que lui a porté Mister Kajapoul !

Il assentime de rechef (d'état-major).

— Vous l'avez coursé à bord d'un hélicoptère ?

— Exact.

— Comment êtes-vous rentrés du Mexique, si vous l'avez conduit dans la carrière en question avec la Porsche blanche et que vous y ayez abandonné celle-ci ?

Dis, il phosphore, le salaud !

— L'hélico nous suivait et c'est lui qui nous a ramenés à Fresno.

— Quelle compagnie ?

Je le lui dis.

— Qui pilotait ?

— Une femme.

— Vous connaissez son nom ?

A quoi bon tergiverser, ils l'apprendront de toute manière.

— Mrs. Brigitte Simpson.

— Et cette femme s'est rendu complice d'un meurtre en transportant des gens qui venaient d'évacuer un cadavre dans un coin isolé ?

— Elle nous attendait sur un terre-plein assez éloigné de l'endroit où se trouve le corps de Clay.

Troisième opinade courtoise de l'inquisiteur à tête léonine.

Il s'adresse au « jury » :

— Mes cher amis, je vous prie de m'accorder quelques instants ; je compte procéder à certaines vérifications. On va vous servir du champagne.

Et il s'évacue. Dans la cuve maudite, le calme est à peu près revenu. Parfois, un alligator mordille la tronche de feu Da Saliva comme un chiot se fait les ratiches sur un os. L'eau reste innommable. C'est plein de filaments abjects, de morceaux de chair blanchâtre, et autres reliefs iniques.

Des serveurs en gants blancs se pointent avec des plateaux chargés de rafraîchissements : coupes de champagne, dry martini, orangeades. Les quatorze invités-juges se mouillent la meule, et ma pomme, dont la pépie est insoutenable, je les regarde écluser en passant l'os de seiche qui me sert de langue sur ma bouche aride.

Sauveur ressemble à un hibou malade engoncé dans ses plumes. Il se prépare au pire. Tu dirais le condamné de jadis quand messire Deibler venait le tirer des toiles dans sa cellote pour lui sectionner le cigare. Le côté boudeur, tu comprends ? *Ciao*, la société ! Bonne continuation à tous. Vous m'avez eu, mais je vous emmerde. Si ce qui me reste de jours vous intéresse, prenez et n'y revenez plus !

— Tu vois, murmure-t-il, quand je pense qu'aux assiettes, chez nous, les guignols en rouge font des effets de manches pour nous traiter de pourris, je me marre. On est des angelots de la Renaissance comparés à ces maudits. Même les rigolos de la Gestape allaient pas aussi loin dans leurs dévergondages ! Et ce joli monde se loque milord et se réunit pour voir bouffer un gus par des crocodiles !

Il se tait parce que le grand inquisiteur vient de rentrer en séance. Cette fois, il prend place dans le fauteuil.

— J'ai eu une communication avec Mrs. Simpson, le pilote de votre hélicoptère, annonce-t-il, elle est formelle : vous avez parlé à Clay. Elle vous a vus, de loin, en discussion avec lui. Que vous a-t-il dit ?

— Rien. Il est mort immédiatement d'une hémorragie cérébrale.

Le mec fait pivoter son fauteuil de manière à se placer face aux invités.

— Etes-vous d'accord avec moi, chers compagnons, si je prétends que, pour la sécurité du Cartel, ces deux hommes doivent disparaître ?

Murmure d'assentiment spontané.

— Que Clay leur ait parlé ou qu'il ne l'ait pas fait importe peu : ces Français connaissent trop de choses à notre sujet, déclare l'homme au nez cassé.

Il désigne l'aquarium :

— De plus, le spectacle auquel ils ont assisté rend leur neutralisation incontournable ; d'accord ?

Nouveau murmure.

— Passons au vote. Qui est contre?

Aucune main ne se lève. Détail piquant, la blonde platinée qui me trouve à son goût, m'adresse un sourire charmeur. Merci, madame.

— J'enregistre cette nouvelle unanimité, fait le grand inquisiteur.

Il presse un timbre fixé à la table. Presque aussitôt, une équipe de matafs en combinaison entre. Ils ont une échelle, du fil de fer souple en rouleau. C'est des spécialistes éprouvés. L'équipe volante. Pour commencer, ils nous filent une manchette à la glotte, ce qui a pour effet de nous anesthésier partiellement. On nous saisit, nous saucissonne. On nous hisse sur la grille fatale. J'ai la face tournée vers la cuve. Les monstres s'excitent de notre présence. Ils recommencent la sarabande de naguère, quand on leur proposait Da Silva. Sautant jusqu'à heurter la grille. Je chope le nez de l'un deux contre ma pommette. Ah! l'atroce contact. Mais pourtant dis-moi, maman, ça doit bien être gentil quelque part, un crocodile, non? Ça a été tout petit, peu après son œuf. Rien que ça, déjà: ovipare! C'est attendrissant. Ça comprend des choses puisqu'on parvient à les dresser! T'as des dompteurs qui osent mettre leur tête dans leur gueule et ils ne sont pas décapités!

Je t'ai déjà raconté l'histoire de celui qui y mettait sa bite? Oui, il me semble. Tant pis, je te la re-raconte. C'est un dompteur de crocodiles qui exhibe une bête terrible. Il a un gourdin, en donne un coup sur la tête du croco, lequel ouvre sa gueule. Le gusman sort sa biroute de son étui, la place dans la clape du saurien qui la referme jusqu'à la limite de l'amputation. Nouveau coup de massue sur le crâne du monstre qui rouvre la gueule. Tonnerre d'applaudissements. Le dompteur dit alors: « Y aurait-il dans l'assistance un homme qui se sente capable d'en faire autant? » Un pédé lève la main et crie : « Moi ! » Et il ajoute : « Mais faudra pas me cogner sur la tête ! ». Je suis sûr de te l'avoir déjà narrée. Ça ne fait rien. Je sais plus quel évêque (ce n'est pas le mien) a dit que si tout ce qui a été écrit en ce monde ne l'avait été qu'une seule fois, la littérature universelle tiendrait en sept volumes. On formule, on cause, on s'exprime. On pense, on rêve, on se laisse aller, on se décompose de la pensarde plus vite que du corps. On est un ramassis de gâteux. On bêle. Toujours en redite, à frapper sur les mêmes clous. Pour ma part d'en ce qui me concerne, comme dit Béru, je te demande pardon de n'être pas davantage, comme je t'absouds d'être encore moins !

Donc, on énerve les crocos, Sauveur et mézigue. J'ai un formidable courage de résignation. Je me dis, ça va te faire comme un accident d'auto ou de chemin de fer, quand ton corps est broyé, transpercé, tronçonné. Tu mourras noyé et de trop de souffrances. Tout cela va être si intolérable que tu traverseras le miroir sans t'en rendre compte.

Je respire mal car ils nous ont bâillonnés. Par contre, ils ont négligé de nous déshabiller. Les caïmans auront des fils entre les dents, des boutons dans les gencives et un mocassin dans l'estomac.

En bas, le grand inquisiteur déclare :

— Je ne vanterai jamais assez les mérites de ce vivarium, chers compagnons. Il assure magnifiquement la totale disparition des gens que nous éliminons. Lorsque ces braves bêtes auront terminé leur repas, nous évacuerons à la mer l'eau de la cuve ainsi que les reliefs qui subsisteront et tout sera dit à jamais.

Tout sera dit à jamais !

Je pense à ma Félicie qui va m'attendre jusqu'à la fin de ses jours, car jamais elle ne voudra croire à mon trépas. Je continuerai de vivre dans son cœur. Elle guettera les bruits de pas sur le gravier de l'allée, celui de

mes clés dans la serrure, et chaque fois que le téléphone
carillonnera, elle se dira : « C'est lui ».

— A vous de jouer, Bob ! dit le grand inquisiteur.

Le préposé à la chaînette s'approche de la potence.
« Seigneur, si Vous êtes, faites un geste pour nous ! »
Mais le geste, c'est le mataf qui l'accomplit. Sa main
s'avance vers la poignée. Je ne peux m'empêcher de
songer que ce mouvement est celui d'un actionneur de
chasse d'eau. Tirer après usage ! C'était marqué dans les
chiches des troquets, jadis.

Mais là, le Seigneur m'ayant reçu cinq sur cinq, c'est
pas *après*, mais *avant* usage qu'on tire. Tu croirais un
coup de canon. Ce qui s'opère est fabuleux. Bon, il y a la
détonation, ça oui, mais elle est instantanément suivie
d'une explosion *terrific*. Je me sens criblé d'éclats.

Malgré tout, je n'ai pas la présence d'esprit de fermer
les yeux. Donc je vois. Je vois sans très bien
comprendre. Je vois sans pleinement enregistrer. On a
tiré un fort projectile à ailette dans l'épaisse paroi de la
cuve et celle-ci a explosé. Il s'en est suivi aussitôt un mini
raz de marée en direction des spectateurs. La trombe et
les caïmans qu'elle a entraînés ont submergé la tribune et
ses occupants. Nous deux, Sauveur et moi, sommes hors
d'atteinte sur notre grille. On joue les spectateurs.

Et alors, franchement, ça mérite de rester en vie pour
voir ça ! Les quatorze « jurés » et le grand inquisiteur se
retrouvent pêle-mêle, anéantis par la masse de l'eau et
des sauriens, assommés, noyés, en tout cas suffocants.
Les crocos, plus aptes à récupérer que les hommes dans
de telles circonstances, sont en train de jouer la polka
des mandibules sur ce monceau de bidoche en tenue de
soirée. Ils s'en donnent à cœur joie, les monstres ! Ça
devient cris et suçottements, à bord. On entend craquer
les os ! Ceux qui récupèrent tentent de se remettre
debout, mais leurs fringues détrempées freinent leurs
mouvements.

Et puis, surtout, par une sorte de fenestron d'aération situé à deux mètres du plancher, le gonzier qui a scrafé la cuve est toujours en poste et défouraille maintenant à la mitraillette. Il ratisse épais, le gars! Pour pas qu'il perde de temps, sitôt qu'il a zipé son chargeur, quelqu'un lui passe une autre arroseuse et recharge la première. C'est la grosse extermination. La Saint-Barthélemy irrémédiable. Rrrran! Rrrrrran! Une tisane de mort effrayante! L'équarrissage systématique! Même les caïmans sont touchés, qu'à ce propos, je ne sais toujours pas s'il s'agit d'alligators ou de caïmans, mais je penche pour des caïmans.

Enfin le feu cesse. Mais toutes ces agonies empilées clapotent mochement. Ça ruisselle comme après une pluie tropicale : sang d'hommes, sang de crocos confondus. Deux ou trois bestioles que les balles n'ont pas atteintes continuent tranquillos leur festin. Y a même le plus gros qui, fin gourmet, se fait la jambe gauche de la femme platinée, et tu veux parier qu'il est cap' de lui bouffer le cul tout de suite *after*? Tu serais étonné par ces animaux, leur raffinement!

Le tireur du fenestron disparaît. Lui succède alors une bouille rubiconde. Une voix angoissée demande :

— Est-ce qu'aurait-il un Santantonio d'vivant dans c' bordel à cul?

13

Lorsque nous sommes délivrés, Béru apostrophe Sauveur en termes véhéments :

— C'est toi, Kajapoul, hmmm ? J't' reconnais, c'est ma pomme qui t'a serré à l'un d'tes premiers casses, si tu t'souviendreras ? Tu doives avoir encore à la pommette la cicatrice dont j' t'ai fait av'c ma ch'valière en cuiv' qu'j' portais à l'époque et qu' j'ai dû m'défaire d'puis, car é commettait trop d'dégâts dans mes énervances. Dis voir, m'sieur l'mec, qu'est-ce y t'a pris d'embarquer mon Sana dans tes remoulades ricaines ? Un garçon impec, instruit, d'valeur, promise à un avenir resplendissante !

« Boug' d'Chinois vert, va ! M'lu risquer la peau ! Et pour qui, Seigneur, j'vous y d'mande ? Pour un malfrat encore plus faisandé qu'tézigue. Lu aussi, j'l'ai connu, Miguel-langue-de-velours. Quand y montait pas en ligne au Crédit Lyonnais ou à la Société Générale, y bouffait des chagattes ! Un sacré goinfre ! Toutes les tapineuses de Pantruche l' raffolaient. Un vrai caméléon, ce gonzier ! La menteuse en tire-bouchon. Y passait ses aprèmes et ses vacances entre les jambons d'une frangine à lui briquer l'clito à l'huile de parlotes. Une épée, dans son genre.

« Note que ma pomme aussi j'raffole de la broute sur

gazon frisé. Mais d'là à déferler des tyroliennes baveuses
des heures durant dans la minouche d'une gerce, y a une
margelle ! Moi, j'sus pour l'braque. Monté comme *I am,*
c's'rait malheureux. L'empaffage, c'est mon violon
d'Indre-et-Loire, comme qui dirait. J'm'accomplille
vraiment qu'les paluches su' les miches d'une dame pour
assurerer la prise : j'sus du genre ramoneur. Mais j't'en
reviens à cette idée de m'dévergonder l'môme. J'en suis
baba qu'il cédasse à ta propose. Comme quoi, on peut
jamais êt' tranquille av'c les jeunots. Si on s'rait pas
arrivés pile, tu l'laissais bouffer par des crocodiles. »

— C'est des alligators ! objecte Sauveur.

— Non, interviens-je. Des caïmans !

— Caïmans ou alligators, sans nous, y s'faisait bel et
bien claper comme une entrecôte par ces vilaines bestioles. Non, mais vise-moi çu-là qu'est pas crevé et qu'a
la prétention d'me sucrer une guitare ! Saloperie ! T'vas
voir ta gueule !

Et Bérurier de shooter avec vigueur dans la tronche du
saurien, lequel, sous ces coups de boutoir répétés, finit
par abaisser sa herse et sombrer dans le coma.

Peut-être serait-il opportun, ô mon lecteur avisé, que
je te précise une chose essentielle : Bérurier le Vaillant
est revêtu d'une combinaison de plongeur qui le fait
ressembler à quelque cétacé jailli des profondeurs. Son
masque, remonté sur son bonnet de caoutchouc, ajoute
au personnage un je-ne-sais-quoi d'extra-terrestre qui
désoriente.

— Tu es venu à bord comment ? demandé-je.

— On a un grand signe du Zodiac en cayoudchouc,
genre barlu de débarqu'ment. Dans un sens, notre opération ressemb' à celle d'Sainte-Mère-l'Eglise à la Libé.

— Qui ça, « nous » ?

— Ben, moi, Pinuche et l'commando, quoi !

— Pinuche est ici ?

— L'est d'meuré su' l'signe du Zodiac, biscotte son

emphysème. Lui, à son âge, la plongée sous-marine, ça lu torpill'rait les bronches.

— Explique-nous ce qui s'est passé, Gros ? Après avoir failli mourir bouffés par des caïmans, ce serait malheureux de crever de curiosité.

Le veau marin *go :*

— C't'a la sute du coup d'turlu qu't'y as passé pour l'affranchir à propos d'vot' espédition à la suce-moi-l'-nœud.

— Eh bien ?

— Aussitôt qu't'as eu raccroché, la Pine est v'nu m'esposer l'topo. On a décidé qu'ça fouettait la gadoue, vot' histoire, et qu'on d'vait se manier la rondelle pour t'sortir d'ce sac d'embrouilles. Alors on est été voir l'Vieux. Et là, j'doive dire qu'il a été très bien, Chilou ! Efficace pour un' fois. Tout d'sute il a fait tilt et a cramponné son turlu pour tuber au grand patron de l'F.B.I. dont il connaît. Le bonhomme en question s'est foutu dans une de ces rognes cont' l'Cartel Noir, mais une rogne qu'on l'entendait gueuler dans l'biniou au Dabe. Tout en angliche, je t'fais remarquer. Une rogne dans c't' langue-là fait plus d'effet que dans les aut', sauf p't'êt' l'allemand et l'japonais.

« Il disait, c'est le Vieux qui nous l'a répété, que l'nouveau Président voulait purger l'pays de cet Etat dans l'Etat qui soudoiliait la police, la justice, les institutions. Il voulait qu'on nettoive à fond et qu'tant pis pour la casse, tout ça. Y l'a d'mandé qu'on allave, moi et Pinuche, l'rejoind' à Vagin-se-tond pour bien mett' les choses au point concernant vous deux, y espliquer à fond la caisse l'bidule. D'or et d'orgeat, y l'allait brancher une équipe d'élite su' c'bigntz. Pas des manchots, ni des ripoux qui se laissassent remplir les fouilles par l'Cartel, mais des encore utiles, façon Elliot Ness, des qu'on est sûr qu'au petit ni au grand jamais y bouffassent dans les gamelles des gredins. Tout ça.

« Alors on s'a embarqués, moi et le Débris. A peine posés à Vagin-se-tond, on a une converse av'c les chefs d'l' F.B.I., à la raie au porc, et y nous propulsent sur San Francisco comme quoi la volaille d'Californie était à vos trousseaux. Qu'vous alliez vous faire gauler les noix incessamment. La fameuse équipe des litres était à pied d'œuvre, veillant au grain. Bon, on déhotte su' la côte-lette Ouest, prise en chargement par nos confrères. Ils disent qu'la situation a évolué. Les fédés vous ont arrêtés au chevalet d'la fille Kajapoul et emmenés à l'hôtel d'police, pour, un peu plus tard, vous remett' à des scouts du Cartel ; c'qu'était bien la preuve qu'avait collision entre les poulets et l'Cartel Noir !

« Les mecs de l'F.B.I. avaient filoché les lascars et vosigues jusqu'au port où qu'une vedette vous a trans-bahutés à bord d'ce yachete. Y a z'eu conseil d'guerre. Le barlu étant hors des eaux territoiriales, donc pas question de le raisonner. D'aut' part, à l'F.B.I., y sa-vaient qu'y s'en passait des sévères à bord. Il y a a quéqu'temps, on avait r'trouvé le corps d'un mataf du *Silver Shark* av'c une lingue d'vingt centimèt' dans l'bur-lingue. L'était pas complètement mort, et avant d'can-ner y l'a bonni des trucs su'les agisseries des gens qu'appart'naient le yachete. L'a raconté l'histoire des cro-cos dans leur aquarium, qu'on leur donnait des pèlerins à tortorer. Les flics ont pensé qu'il délirait et n'ont pas donné suite. S'l'ment ma pomme, quand j'ai su qu'on vous avait drivés su'c'raffiot de merde, j'ai gueulé comme un charron. J'ai annoncé que j'allais frétiller un canot et v'nir voir.

« C't'alors que les gars ont app'lé Vagin-se-tond et qu'on leur a donné l'feu vert pour une opération en règ'. On était six pour agir. Avec un matériel mimi : grenades soporifiantes, pistolets silencieux, mitraillettes, j't'en passe ! Sophie-ce-ticket, comme on dit puis ! Les mecs, des techniciens pur fruit, j'te prille d'croire. On a inverti le yachete avec des cordes et des grappins. On avait des sacs et des tanches accrochés aux ceintures. A c't'heure, y n'restait plus lerche d'équipage en exercice. En qué-qu'grenades endormantes tout a été dit. »

— Chapeau, murmure Sauveur. Vous voyez, m'sieur Bérurier, j'vous gardais un chien de ma chienne pour le tabassage que vous m'aviez mis jadis.

Il caresse la cicatrice résultant de l'unique chevalière que Béru eût jamais portée au cours de sa vie mondaine, et déclare :

— Aujourd'hui, non seulement je ne vous en veux plus, mais je vous exprime ma gratitude et mon estime.

Un peu déconcerté par cette profession de foi, le Gros bougonne :

— Caresse de-chien donne des puces !

Moi, depuis un moment, je n'écoute plus : je regarde remuer dans le tas de morts un personnage qui n'est autre que le grand inquisiteur. Plus très frais, le maître de la côte Ouest pour le Cartel Noir ! Il lui manque un pied, qu'un saurien foudroyé par une bastos dans l'œil tient encore entre ses dents. De plus, il s'est dégusté deux ou trois valdas dans le corps, ce qui le gêne vachetement pour faire ses abdominaux, l'abdominal homme des neiges.

Il a encore sa connaissance. Son regard froid est fixé sur nous. Il tient un pistolet extra-plat (un Bergougnant-Monpaphe calibre 8) et fait de louables efforts pour le braquer dans notre direction. Seulement ses forces l'ont abandonné et il n'est plus capable de soulever un timbre-poste à zéro franc cinquante (il aurait l'impression de faire des poids et haltères).

Avec dégoût (et des couleurs !), je pattouille dans cette écœurante gabegie : le sang en coagulance, les cadavres, les moribonds et les nombreux débris humains. Me penche sur le zig à la frime de lion agonisant. J'ôte l'arme de sa main et la jette derrière moi.

— C'est plus l'heure de faire joujou avec ce machin-là, bonhomme !

On se regarde. L'approche de l'agonie l'humanise enfin car je lis la peur dans son regard. Oui, lui, l'implacable, le décideur d'exécutions, lui qui a fait périr atrocement tant et tant de gens, il a les flubes, les jetons, les copeaux, les foies, la chiasse noire, les grelots, le traczir, les boules à zéro, les chaleurs, le taf, la mouillette, les chocottes. Un effroi glacé l'investit. Dieu, dans Sa totale et souveraine justice, fait du bourreau terrifiant une victime grelottante de trouille.

Il murmure :

— Il faut me soigner !

Non, tu te rends compte, vicomte ? Me bonnir ça à moi, qu'il allait faire manger tout vivant par des caïmans ! Faut pas chier la honte.

— Vous soigner ? fais-je gravement. En échange de quoi ?

— Je souffre atrocement.

— Est-ce tellement injuste ?

— On doit faire vite !

Je baisse le ton :

— Ecoutez, mon vieux, il y a peut-être une transaction possible.

— Vite ! supplie-t-il.

Mais je ne me bouscule pas.

— Effectivement, dis-je, j'ai eu le temps de parler avec Clay. Il m'a dit qu'il a été mis à mort, lui et ses compagnons, parce qu'ils avaient surpris un terrible secret, seulement il est mort sans m'en dire plus. Vous me racontez de quoi il s'agit et on réclame un hélico sanitaire qui viendra vous chercher sur le pont et vous conduira en clinique. D'ici une heure vous pouvez vous trouver sur une table d'opération. C'est une proposition intéressante.

— Je n'ai pas le droit, balbutie-t-il.

— O.K., mon vieux. En ce cas bonne crève !

Je me tourne vers mes deux potes qui assistent à l'entretien.

— On y va, les gars ? Cet endroit finit par me rendre neurasth !

Et nous nous dirigeons vers la porte.

— Non ! s'écrie l'inquisiteur.

— Vous parlez ? demandé-je.

— Si vous me donnez votre parole de policier que vous me ferez soigner.

Je n'hésite pas et avance la main du serment (à sornettes).

— Je vous donne ma parole ! fais-je gravement.

— Approchez !

Je m'agenouille dans la sanie. L'homme parle et en l'écoutant j'ai l'impression qu'un essaim d'abeilles prend mon rectum pour l'entrée d'une ruche.

C'est pas long : une phrase. Qu'on pourrait écrire en deux lignes et demie.

Je regarde alors ma tocante. Il est bientôt trois heures du mat'. Il n'y a pas de temps à perdre.

— Vous faites ce que vous avez promis ? demande l'inquisiteur angoissé.

— Je vous l'ai juré !

Alors Sauveur s'avance. Il a ramassé le revolver extra-plat arraché de la main du mourant.

— Services sanitaires ! annonce-t-il.

Il braque l'arme sur la poitrine de l'homme.

— Bonne bourre, mon pote.

Ça claque par six fois. Il tire en remontant le sternum. Les deux dernières quetsches se fichent dans la gorge et dans le front de l'inquisiteur.

Ensuite, Sauveur se tourne vers moi :

— Franchement, flic, est-ce que tu trouves ça immérité ?

Je sors de la pièce en haussant les épaules.

Y a regroupement général sur le pont. Le chef du commando balance des signaux avec une lampe torche à forte puissance, et bientôt un énorme Zodiac équipé d'un moteur de cent vingt chevaux vient accoster le « yachete ». Deux silhouettes à son bord : celle du pilote et une autre, plus étriquée : Pinaud César. Celui-ci éternue comme un perdu.

Lorsque nous le rejoignons, il m'accueille d'un aimable mais paisible :

— Bonsoir, mon petit Antoine. Je suis ravi de te retrouver en bonne forme. Tu n'aurais pas des Kleenex sur toi, par hasard ?

Bon, je gaze (le Zodiac itou). Sache, ô mon lecteur invertébré, fuligineux et un tantisoit déliquescent, oui, sache bien que, quarante minutes après avoir mis le pied dans cette espèce d'énorme capote anglaise gonflée, nous nous trouvons à Frisco, parmi des malabars pas commodes, dans un bureau solennel où on cultive le drapeau américain en pot.

Un grand type au nez fort, avec de longs cheveux ondulés et grisonnants qui lui tombent sur les épaules, des yeux faits pour contempler le crime et une braguette abondamment garnie (pas par une aubergine, c'est pas son style, il laisse ça aux danseurs et aux toréadors) se tient debout, en bras de chemise. Il porte des bretelles mauves sur une chemise bleue à col blanc.

Il dit dans son combiné téléphonique :

— Les services de Sécurité de la Maison-Blanche ? Ici l'agent F.B.I. Nicky Tubar, matricule 18.018, code A W 910. J'ai une communication de la plus haute importance à vous faire. Prière de m'appeler après vérifications, à l'agence de San Francisco dont vous avez le numéro sur la liste des urgences. Dérivation 16 ! J'attends.

Il raccroche et nous contemple, vaguement étonné par Bérurier, lequel, une fois dépouillé de sa combinaison

de plongeur, se propose dans un vêtement de toile
blanche assorti d'une myriade de tâches variées. Sous le
complet estivalier, Sa Majesté porte un T-shirt jaune où
se répètent des clubs de golf. Il est chaussé de godasses
marron et coiffé de son éternel chapeau de feutre grisâtre, trouvé dans une poubelle voici une vingtaine
d'années.

Le gars aux longs crins frisés bas me dit :

— Ça n'a pas l'air d'aller fort, commissaire ?

— C'est que nous n'avons ni bu ni mangé depuis une
trentaine d'heures, Kajapoul et moi, expliqué-je.

— Seigneur ! Vous ne pouviez pas le dire ?

— Nous avions des choses plus importantes à vous
apprendre !

Il ordonne à ses gars d'aller quérir des club-sand-
wiches et de la bière.

Bérurier profite des circonstances :

— Et s'ils trouvereraient en suce une bouteille de vin
rouge, même américain, je serais assez preneur !

Là se situe le ronfleur du téléphone. Nicky Tubar le
rafle d'un coup de sa pattoche velue.

— O.K., les gars ? demande-t-il. Bon, alors vous allez
répondre à ma question. Est-il vrai que le Président doit
se rendre aujourd'hui à Miami pour participer à un
séminaire avec les dirigeants de la Nasa dans les salons
de l'hôtel *Rex Imperator ?*... Oui ?... Alors vous allez
annuler la réunion et envoyer des services d'artificiers
chevronnés sur place pour une détection minutieuse.
Selon des renseignements qui me parviennent, l'endroit
est davantage miné que la mer du Nord pendant la
dernière guerre. Cet après-midi, entre 3 et 4 heures
P.M., tout doit sauter ! Vous m'avez bien reçu ? Tout
doit sauter ! Faites vite.

ÉPILOGUE

Nous v'là réunis au bar *Le Carré d'As,* rue Couchetar, que Sauveur a rouvert à notre retour de l'enfer américain. Il y a du beaujolpif pour Béru, du muscadet pour Pinuche, un bloody-mary pour ma pomme et du pastaga pour Sauveur. Il a retiré le bec-de-cane afin que nous soyons entre nous. On évoque l'impossible équipée. Les Amerloques voulaient me cloquer la Croix de la Bannière Etoilée, ou je ne sais plus quelle connerie, pour services exceptionnels rendus à la nation américaine, mais j'ai refusé. Quand on n'a pas de rubans français à son revers, on ne peut s'amuser à faire le con avec des rubans yankees, ça aurait l'air de quoi? Le Président Bush m'a fait cadeau de sa photo dédicacée et je l'ai donnée à Toinet, en rentrant, pour épater ses copains d'école (buissonnière).

— Comment va Maryse? je demande.

— Je l'ai mise dans une clinique de Boulogne pour qu'elle soit soignée impec.

— T'as bien fait, faut pas lésiner, sinon elle garderait des séquelles.

Je dois t'avouer une chose : je n'y pense pratiquement plus à la môme Kajapoul. Faudra pourtant que j'aille lui porter des fleurs. Dans l'avion du retour, j'ai chambré une petite hôtesse avec qui la carburation se fait bien. Je suis porté sur les hôtesses, t'auras remarqué ? Celle-ci, une exquise petite blonde avec des yeux à la prends-moi-toute, me reçoit dans son studio de Péreire quand elle ne vole pas. Elle est à ce point friponne que, sitôt qu'elle m'ouvre sa porte, mon pantalon se déguise en socquettes et c'est plus son airbus, mais ma pomme qui l'emmène au septième ciel.

— Pourquoi tu mates sans arrêt du côté de la lourde ? demande le Gros à Kajapoul. Tu crains des représailles quéconques ?

— Non, j'attends Manolo de La Roca, le frelot du Gitano pour lui remettre sa part d'héritage ; je me l'étais promis et je vais le faire. Selon mon estimation, dollars et cailloux compris, ça devrait aller chercher dans les sept ou huit cents tuiles. J'en garde le double pour doter ma grande fille, ajoute-t-il en me guignant à la sournoise.

Mais moi, j'empresse de fourrer mon pif dans mon glass.

On cogne à la vitre. C'est Manolo. Sauveur va déponner.

— Dis donc, l'interpelle-je, ta donation, tu seras gentil de la faire hors de notre présence, je crois te l'avoir déjà dit, aux States.

— *Yes*, flic ! Ton honneur de poulet restera *clean* !

Entrée du bouffeur de chattes. Présentations, serrements du jeu de paumes. Il lui reste un poil entre les dents. Un noir, frisé serré. Tu veux parier qu'il vient de groumer de l'Ibérique ? Voire de la Nord-Africaine, qui sait ?

— Ça marche, la dégustation, Manolo ?

— Pas mal, répond-il en souriant. D'autant que, doucement, je me constitue une clientèle d'habituées. Je démarche de moins en moins car j'ai du stock, commissaire.

Il ôte son blouson et, en parfait gentleman, le place sur le dossier de sa chaise.

— Qu'est-ce que je te sers, môme? demande Sauveur.

— Une petite bibine; je viens de bouffer une tarte aux poils vachement salée.

— Banco!

Mais voilà Kajapoul qui reste immobile, le regard agrandi, les lèvres vidées. Ma parole, il défaille! J'avance un siège.

— Pose-toi là, truand. Qu'est-ce qu'il t'arrive? T'as des vapes? Tes coronaires qui déconnent?

Il bégaie:

— Dis-lui qu'il remette son blouson! Je peux plus voir ça! Je pourrai plus jamais.

Et il désigne la chemise Lacoste de Manolo sur laquelle un crocodile vert a l'air de ricaner.

FIN

Achevé d'imprimer en octobre 1989
sur les presses de l'Imprimerie Bussière
à Saint-Amand (Cher)

— N° d'imp. 9831. —
Dépôt légal : novembre 1989.
Imprimé en France